# はじめに――「永遠の作業員」と「自分らしく活躍する人」の差

## ◎正解を生み出せ！「最短で成果を出す30代」の働き方

**30代は、人生の分岐点。**そうは言っても、大量の「やるべきこと」に忙殺されて、じっくり考える余裕がない。

情報や選択肢が多すぎて動けない人もいるかもしれません。

ですが、30代の10年間で、今後の人生の可能性が決まります。

迷っている暇はないのです。

一方で、**30代は世の中や会社を支え、動かす世代。**

筑波大学准教授の落合陽一さんも現在34歳、実業家の堀江貴文さんは現在49歳ですが、彼がライブドア時代に球団買収を企んだのは30代前半です。

このように、30代は大きな仕事やチャンスを掴み、自分で人生を動かす「輝くリーダー」へと変貌する一方で、簡単な仕事しか与えられず、スキルも身につかず「永遠の作業員」で40代を迎える人もいます。

ビジネスパーソンとして、**一皮むけてアゲハ蝶のように羽ばたく人、幼虫のままくすぶって終わる人は何が違うのでしょうか？**

その差は、「能力」ではありません。たった1つの「働き方」の違いです。

結論を言います。**その働き方とは、「成果のコスパ」です。**労力やコストに対して、どれだけの成果が得られるかを意識しなければなりません。

20代と30代以上とでは、求められる「成果のコスパ」がガラッと変わります。

**「正解のある仕事を効率よくこなす」から、「正解がない仕事でも、成果を出す」へと働き方をアップデート**しなければならないのです。

「正解がないって、ゼロから正解を発明しろってこと？　難しい……」「それは大変だ、時間がいくらあっても足りない……」と思う人もいるかもしれません。

それは、ある意味で正しいと言えます。だからこそ、30代は忙しいのです。

でも、ご安心ください。難しく考える必要はありません。

五里霧中のプロジェクトであっても、最短で正解への仮説や段取りを立てたり、正解に近い仕事をしている人から知恵や知識を仕入れてショートカットする方法など、**効率的に効果を上げて仕事を進める攻略法**があるのです。

実は、2ちゃんねる（現5ちゃんねる）の開設者、西村博之さんや、天才編集者の箕輪厚介さんをはじめ、世の中を動かしている人が、同じことを語っています。

彼らが言うと、ものすごい一部の人にしかできないことに感じるかもしれませんが、実は意識して工夫すれば誰にでもできる「ちょっとした」ことなのです。

ただし、それは今までの「働き方の教科書」には載っていません。

なので、30代のこれからの「シン・働き方の教科書」として示すことにしました。

本書では、**正解のない仕事でも、効率よく効果を出すためにすべきことを「これだけ」に絞ってご紹介します。**

## ◉30代で脱皮できる人、できない人

なぜ、それを私が言えるのか。ご挨拶が遅れました。

私は人事と戦略のコンサルタントをしている松本利明です。ＰｗＣ、マーサー、アクセンチュアなどの外資系大手のコンサルティング会社で、戦略、働き方、人事のコンサルティングに24年以上携わってきました。クライアントは日系・外資系の大手企業からスタートアップ企業まで、その実績は６００社以上。一貫して行ってきたのは、５万人以上のリストラと７０００名以上の幹部の選抜と育成です。

そう、私は７０００名の幹部候補の「脱皮」を手掛けてきました。そこで、**同じ能力の優秀な大学卒の同期が、30代の10年で幹部と平社員に分かれるのは、「脱皮」のノウハウを知って、正しく努力したかどうかでしかない**と悟りました。

ただ、残念ながら自ら「脱皮」できる人はごく少数です。大半は「脱皮」できるよう経営や人事がサポートしています。

この本では脱皮するためのノウハウを「５つ」にまとめました。

**一つは、成果のコスパをあげる一番の前提である、「自分に合った場所選び」**です。自分に合った餌場でないと、餌も取れず、脱皮も失敗します。

ここでつまずくとどんな努力も無駄になります。逆にここさえクリアできれば、キャリアや働き方のモヤモヤの半分以上は解決します。悩む時間は無駄でしかありません。旬の時間が目減りする前に、サクっと解決してしまいましょう。

あとの４つは、成果のコスパをあげるコツについてまとめました。やった方がいい事は山のようにありますが、全部をやる時間はありません。

**率直に言えば、戦略的にスキルアップするにしても、残された時間は短いのです。**

ただし、成果のコスパをあげるノウハウは、エリートだけでなく、誰でも早く正しく身につけることが可能です。その好例は、実はこの私です。

私はもともと、偏差値50台のあまり優秀とは言えない大学出身です。そんな私が、なぜ30歳で外資系企業に移り、最短の８年間でトップ５％しかいないプリンシパル（部長クラス）へと逆転できたのか。

それは、徹底的にできる人の考え方や仕事の仕方を「完コピ」し、そのセオリーを教える側に回ったからです。

プライベートでキャリア相談にのっている５０００名を超える普通のビジネスパーソンも同様に、この方法で自分らしく活躍できているので、再現性は保証できます。

30代の残り人生はどんどん目減りし、時間も残されていませんが、焦らなくて大丈夫です。本書を通じて、しっかりと脱皮できるように備えられますから。

では、具体的に何をすればいいのか。まずは、ページをめくってみてください。

**序章にて、「結局、何をすればいいのか」この5つのポイントを説明します。**

# できる30代は、「これ」しかやらない　目次

第1章

# 30代の仕事の悩みを因数分解する

# 第2章 あなたの知らない強みの見つけ方・活かし方

## 第3章

# 「効果の出る仕事」に集中せよ

第5章

# ストレスゼロの「対人関係術」

# 第6章 30代からの「社内政治の教科書」

# 第7章 得意な人を増やす人脈術

# 序章

# 「これだけ」やれば困らない5つのポイント

## ⊙キャリア：20代は「居場所」、30代は「向いている環境」に行け

20代は新卒で入社した会社でも転職先でも、最初に求められるのは「How to live」です。**つまり、その組織のルールや文化に馴染み、生き方をつかみ、自分の「居場所」を作ることです。**その居場所で、一人前以上になるまで、指導・指示を受けながら仕事を覚えることがキャリアのファーストステップです。

**一方、30代は20代と違って、結果を出してナンボの世界。**であるなら、「脱皮」するには、有利な餌場でラクに速く育ち、羽化しやすい環境にいることが一番です。そのために求められるのは、自分に向いている環境（業界、会社、職種）に身を置くことです。苦手な事を克服しているヒマはありません。

**成果を出し、周りから認められるからこそ、仕事もチャンスも集まるのです。**

ただ、ここで問題になるのが、「自分に有利な環境はどのように手に入れればいいの

## 30代で「これだけ」やれば困らない5つのポイント

| | キャリア | 仕事の成果 | 対人関係 | 働き方 | ネットワーク |
|---|---|---|---|---|---|
| 20代まで | 居場所をつくる | 効率（依頼された仕事を効率よく行う） | 可愛がられる | 一人でできる（一人前） | 教わる |
| 30代 | 向いた環境で評価される（仕事の選び方と持ち味の発揮の仕方）<br>悩みをスッキリさせる　コツをつかむ | 効果（コツをつかみ、やったことがなくても成果を出す） | 割り切り、得意な人を増やす | 組織を活用 | 声がかかる<br>相談される |
| | 1, 2章 | 3、4章 | 5章 | 6章 | 7章 |

か？」ということです。そもそも、「自分に有利な環境」ってなんでしょう？

それについては、第1章で具体的に解説します。キャリアの賞味期限が切れる前に、事前に読んでおくことをお勧めします。

### ⦿仕事の成果：20代は「効率」、30代は「効果」に集中

20代までは、頑張ればそこそこの評価がもらえた。しかし、30代になったら「目標を達成したのに、期待したほど評価が上がらない」と感じる人は多いでしょう。

その通りなのです。実は、30代からは、会社や組織から求められる評価基準が変わります。労力やコストに対し、どれだけの成果が得られるか。つまり、成果の「コスパ」が問われるこ

とが一番重要な変化なのです。

コスパを上げるには、効率と効果の２つの視点があります。

効率：余分な仕事を減らす。速く、正確に仕事を終わらせる。

効果：打ち手に対して、効き目や成果をより多く出す。

**20代までは仕事をきっちり覚え、一人前になることが求められるので、「優秀な作業員」でOK**でした。

しかし、**30代は効率に加えて、高い付加価値を求められます。**速い話が「結果を出せ」ということです。１００％の正解がないからこそ難しそうに見えますが、コツさえつかめば、誰でもできるようになります。具体的には第３、４章で解説します。

## ◉対人関係：20代は、「可愛がられる」、30代は「割り切る」

**20代の対人関係は、周りから「可愛がられる」ことが一番です。**そうすることで、優先的にやりたい仕事を任せてもらえるチャンスが増えるからです。困った時には指示やフォローで助けてもくれます。

30代は違います。自分を可愛がってくれる人とだけつき合うわけにはいかなくなり、利害が対立する人や、苦手な人も動かさなくてはならなくなります。

ですが、この発想では、ストレスがたまるばかりです。**苦手な人を克服する必要はありません。得意な人を増やしていけばいいのです。**詳しくは第5章で解説します。

## ◉働き方：20代は「一人でできる」、30代は「組織を活用する」

**20代は上司の指示や指導がなくても、報連相しながら「一人でできる」ことが求められます**が、30代からはステージが変わります。一人前以上の「効果」を生み出すため、**組織を活用し、動かすこと**が求められます。

組織を動かすには、社内政治、いわゆる「根回し」が必ずついて回ります。社内政治や根回しという言葉に嫌悪感のある人もいるかと思いますが、そこは割り切って考えましょう。「組織を活用する」ことをゲームに置き換えるのです。RPGのようにパーティを組んでクリアすることと一緒だと考えればいいのです。

組織を活用するコツをつかむと、あなた一人でやる仕事も、うまく人の力を借りてラクに速く進めることができます。

本音を申せば、根回しの一つもできずに40代になったらお終いです。根回しのコツは、

第6章で解説します。

## ⊙人脈：20代は「教わる」、30代は「相談される」

**20代の人脈作りは、「教わる・気に入られる」こと**です。社内外のスゴイ人に気に入られ、他のスゴイ人を紹介してもらうなど、あなたにさまざまなことを教えてくれ、ポテンシャルを引き出してくれる人にお世話になることです。

成功した人、優秀な人ほど、実は若い時に当時のスゴイ人から同じように教わっているものです。そのバトンを次の世代へ渡すため、気に入った若手に自分が学んできた、培ってきたことを教え、伝えるのです。

一方、**30代の人脈作りは「相談される、声がかかる」ことが重要**です。

相談されることで、その人との信頼関係が強くなり、あなたに必要な人とつなげてくれたり、欲しい情報をもってきてくれるようになります。

相談される＝専門性が高い必要はありません。相手の問題解決になるような人や情報をあなたがつないであげることで十分です。

もう一つ、30代の人脈作りでは、一緒に成長していける仲間を見つけ、つながることが重要です。そのためには、人脈を随時アップデートし、入れ替えていくことも必要になります。あなたの成長・進化に伴い、つながるべき人脈を見極め、時にはあなたにとって意味のなくなった人と距離を取ることもあるでしょう。そのコツを第7章で解説します。

この本では、30代に必須のこの5つのテーマについて、各章で解説していきます。最初から読み進めても、ペラペラめくって気になるところから読んでいただいても、わかるように書きました。早速ページをめくってみてください。

# 第1章

# 30代の仕事の悩みを因数分解する

1.1

# 30代のキャリアの迷いは、パターン化できる！

**先が見えないキャリアの悩みは、モヤモヤしていて当たり前？　たった3つの視点で、漠然としたキャリアの悩みを整理することができます。**

## ⦿キャリアの悩みは3つに大別できる

キャリアや働き方は偶然の積み重ねと言われますが、これは半分正解で、半分は間違いです。**現在地と方向を把握することから始めれば、キャリアや働き方はある程度自分でコントロールできるのです**。ある程度コントロールできるようになれば心に余裕が生まれますし、余裕があればこそ、目指すキャリアを選んで進めます。

多くの30代が、自分のキャリアや働き方についてモヤモヤを抱えていると思います。モヤモヤは人によって違いますが、解決する方向のパターンはある程度整理できます。これをスッキリさせることで、自分の現在地と目指す方向がわかるようになるのです。

私は、7000名を超える人のキャリア・アドバイスをする中で、30代のみなさんがどんなことで悩んでいるのかを3つの軸で整理しました。軸ごとの悩みを解説します。

**①「好きなこと・やってみたいこと」の軸**

・好きなこと、やってみたいことが見つからない
・好きなこと、やってみたいことに確信を持てない
・好きなこと、やってみたいことをやっても結果がでない
・好きなこと、やってみたいことで結果はでて楽しいけど、稼げない
・好きなこと、やってみたいことで稼げているけど、評価されずむなしい

が代表的な悩みです。「ドキッ」とした方は1・2から読み始めてください。

**②「得意なこと・向いていること」の軸**

・向いているはずだか、結果がでない。働きづらい
・儲かり、評価され、出世したけど、なんだかむなしい　など

が代表的な悩みです。「ドキっ」とした方は１・３から読み始めてください。

### ③「儲かること」の軸

・働いた分だけの報酬を得られていない
・働いて出世しても報酬が上がらない
・儲かるけど、人生が荒む
・好きなことで、儲かるけど、評価されず、実はむなしい　など

が代表的な悩みです。「ドキっ」とした方は１・５から読み始めてください。
このまま読み進めてもいいですし、気になるところから読み進めても大丈夫です。
先ほどの①が気になった方は、早速、次のページをめくってみてください。

**Point**

**素直な気持ちで自分の立ち位置を確認すると地に足がつく**

## 30代のキャリアや働き方の悩みと解決方法

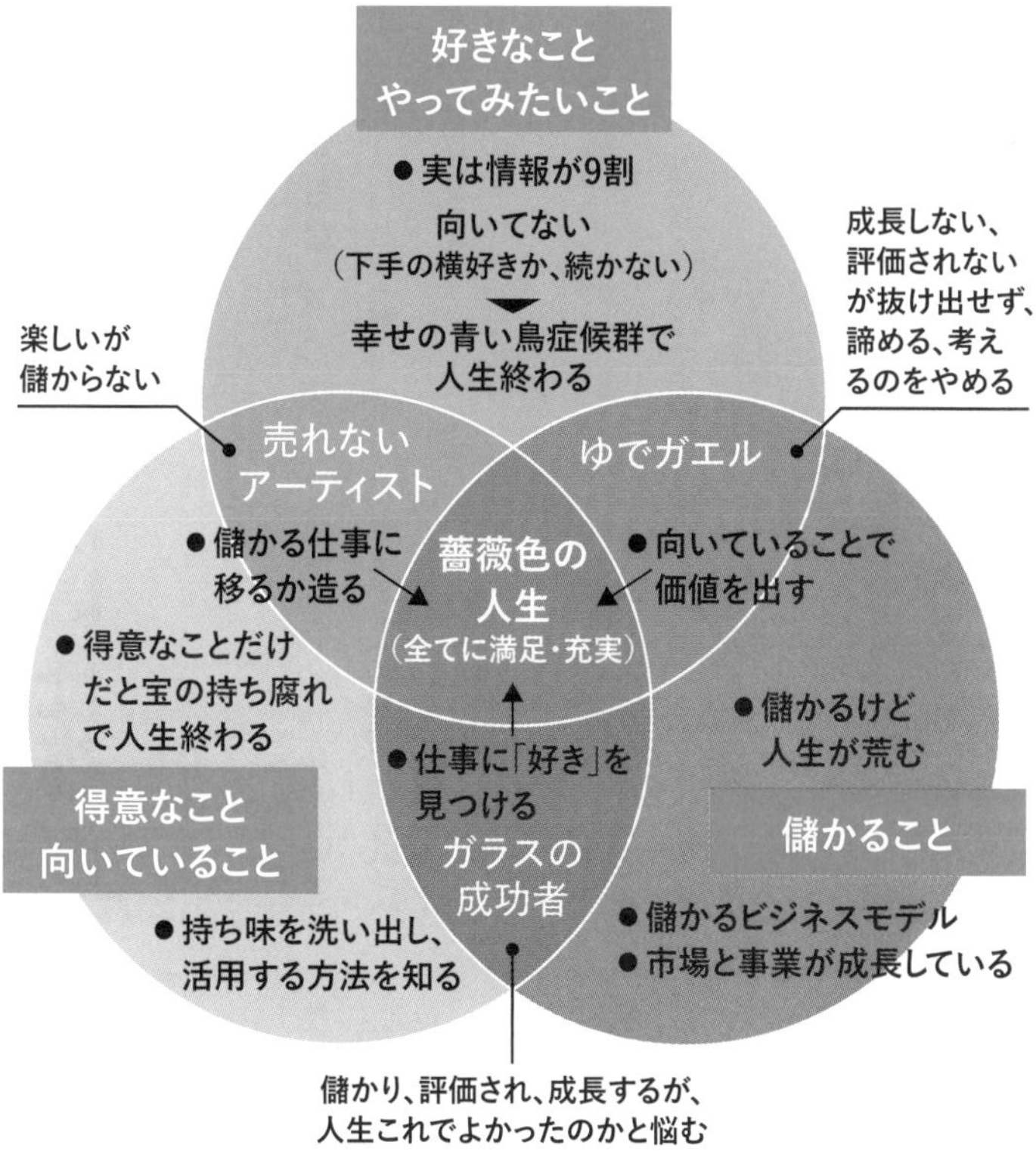

# 1.2

# 好きな仕事、やりたい仕事が「わからない」

どうせ仕事をするなら、「好きなこと」や「やりたいこと」がいい。でも、「好きな仕事・やりたい仕事」は、わかるようでわからない。そんな人にとっておきの考え方を教えます。

## ◎好きな仕事、やってみたい仕事にひそむ罠

・好きな仕事、やりたい仕事が見つからない
・好きな仕事、やりたい仕事をやってみたけど、つまらなかった、期待と違った
・好きな仕事、やりたい仕事がわかっているようでハッキリしない
・好きな仕事、やりたい仕事を任せてくれない
・好きな仕事、やりたい仕事ができているが稼げない

好きな仕事、やりたい仕事に関する悩みは実に多様です。そもそも、好きな仕事、やりたい仕事とはなんなのか。**考えるほど、わからなくなります**。それは、「好きな仕事、やりたい仕事」という美しい言葉の中に罠が潜んでいるからです。

あなたが考える「好きな仕事、やりたい仕事」を、あなたはどう知りましたか？　親がその仕事をしていた。ＴＶやネットで知った。学生時代の先輩がその仕事をしていた、就活で知った……人によってさまざまでしょうが、共通しているのは１つです。それは「情報」として知ったこと。何かしらの情報のインプットによって、その仕事のことを知ったはずです。たとえば好きな動画を通じて「YouTuber」になりたいと思った。あるベンチャーのＣＥＯや働いている人が魅力的だったので、ベンチャー企業で働きたいと思った。このように、「好きな仕事・やりたい仕事」を情報として知ったから、キャリアの選択肢に入ったのです。

言い方を変えれば、その「好きな仕事・やりたい仕事」は、魅力的に彩《いろど》られた情報に「なんとなく憧れただけ」というのが実態で、あなたの本音ではないのです。

さらに、情報は日々アップデートされていきます。ゆえに悩むのです。５歳の女の子が将来「プリンセスになりたいの」と憧れるのは可愛いですが、就活時にその進路は選ばないでしょう（もし選んだら、それはそれでスゴいですが）。
キャリアの選択肢や、「好きな仕事・やりたい仕事」が大量にアップデートされる反面、30代はある程度の知見がつき、自分なりの現実を見る目があるので悩むのです。

## ◉「得意なこと」から「好きな仕事」を選べ

情報としてアップデートされ続ける「好きな仕事・やりたい仕事」を追い続けるのは危険です。キャリアにおける「幸せの青い鳥症候群」になり、あちこち目移りして転職を繰り返す間に、キャリアの賞味期限が来てしまいます。

偶然、ある仕事をやってみた結果、「好きだ！」と思えた場合も危険です。ただの「下手の横好き」かもしれません。下手の横好きでは楽しくても、評価されません。

誤解しないで頂きたいのですが、「好きな仕事・やりたい仕事」をするなと言っているのではありません。「売れないアーティストになるな」ということです。やりがいは感じるけど、「稼げない」状態になるなということです。「いつか売れるだろう！」と人生をギャンブルにするのは危険です。

では、どうすればいいか。「**選択する順番を変えればいいのです**」。

あなたが「得意なこと、向いていること」から、「好きな仕事、やってみたい仕事」を選べばいいのです。得意なこと、向いていることであれば、他の誰よりラクに速く結果を出せる可能性＝ポテンシャルを持っていることになります。

得意なこと、向いていることでも、「より秀でている人がいる」と嘆く必要はありません。得意なこと、向いていることをいくつか組み合わせれば、オリジナルな存在になれます。たとえば、100m走で一番になれなくても、目がよく球にバットを合わせるのがうまければ、野球で1番バッターや盗塁王を目指す方向もあります。

自分の得意、向いている＝持ち味を活かせる環境を選ぶこと、その方法を知れば、好きな仕事・やってみたい仕事で楽しく結果を出せるようになります。

そもそも、「得意なこと、向いていること」がわからない、ハッキリしない、自信がないという人もいるでしょう。自分の持ち味を知り、組み合わせて自分らしく強くなるコツは第2章で詳しく解説します。

Point

**「好きな仕事」の前に「得意なこと・向いていること」を仕事にする**

1.3

# 「不得意なこと」を克服している時間はない！

得意なことに集中するより、不得意を克服することに時間をかけてきた。しかしこの考え方には罠が隠されています。

## ⊙得意なことは30代で既に決まっている

「得意なことをやれ」と言われても「得意なこと、向いていることがわからない」人もいることでしょう。

実は、得意なこと、向いていることを見つけるのは、非常にやっかいです。

無意識でスイスイできることは、自覚しにくいからです。

得意なことは、心理学的には「心の利き手」と言われています。[※1] 利き手を使ってモノを持ったり作業をしたりするのと同じように、自然にできてしまうのです。

ちなみに、**生まれつき得意なこと、向いていることを「資質」と言います**。

具体的にはあなたの根幹にある性格、価値観、動機にあたります。諸説ありますが、資質は生まれてすぐに半分、20代前半までの間にもう半分が固まると言われています。その後は、人生観が変わるくらいの衝撃がないと変化しない特徴です。

また、人は絶対値ではなく、相対比較する中で自分の能力を判断する生き物なので、通知表や順位づけに現れない能力は、得意かどうかがわかりません。

自分が周りより速いか、遅いかが一目瞭然な短距離走のようなわかりやすい競技ならよいのですが、そうでない能力は自覚しにくいのです。

## ◉克服した体験を大事にしてはいけない

一方で、人は得意なことよりも、「できないこと」に意識が集まりがちです。

これは子ども時代からの偏差値教育からも見て取れます。何か一芸に秀でるより、苦手な科目の偏差値を上げることが求められます。

仕事もそうです。管理指標の中でできないこと、上司・先輩、同期と比較して自分ができないことや苦手なことがハッキリと認識されます。そのため、苦手なことをクリアすることに注力してしまうのですが、これでは成果も成長も期待できず、評価も評判も落とすことになるのです。仕事で成果を求められる30代は、**不得意なことを克服している時間などありません**。

そんな時間があるなら、資質に合った仕事をすればいいのです。

また、スキルを身につけることで苦手を克服しようと考える人もいますが、ここにも落とし穴があります。自分の資質と合わないスキルは、習得に時間がかかるわりになかなか伸びないことが、心理学で言われています[※2]。

苦労してやっとできるようになったことは、残念ながら他者と差別化できるレベルにいたりません。にもかかわらず、苦労してやっと手にいれたスキルは時間をかけた分、愛着が湧くので「自身のアドバンテージになった」と勘違いする傾向があります。それこそが、間違いの始まりです。簡単な例を出しましょう。

× 対人関係が苦手な資質の人 ↓ コーチングを学ぶ ↓ 売れないコーチ

○ 対人関係が得意な資質の人 ↓ コーチングを学ぶ ↓ 売れるコーチ

同じコーチングを学ぶとしても、前者は苦労のわりにそれで食べていくことはできず、後者は楽々スキルを習得し、プロになることができます。苦手なことをスキルでクリアすることは、マイナスをゼロに近づけるだけ。得意なことに合ったスキルを学ぶことは、プラスをさらにプラスにすることになるのです。

苦手をゼロに近づけた、少しでもプラスにできたことは、嬉しいこと。その気持ちは、痛いほどよくわかります。

しかし、趣味やライフワークとして学ぶのなら素晴らしいのですが、それをメインにして、仕事や自分の売りにするのは危険です。**弱いところをスキルで強化しても、もともと向いている人にはかなわない**からです。

得意なこと・向いていることの中から、好きな仕事を見つけていくのが一番です。

Point

**苦手を克服したら、それ以上は欲張らない**

1.4

# 「得意なこと」だけでも、人生はむなしくなる

「得意なことから、好きな仕事を選べ」は本当です。ただ、得意なことだけをすると、人生がむなしくなるのも事実。「好きなこと」と「得意なこと」の最適なバランスとは？

## ⊙得意なことも、環境と合わないと発揮できない

得意なことは、それを発揮できる環境にいないと埋もれてしまいます。世界的なギタリストも、工場勤務ではギターの腕を発揮することはできません。

人は、どんなに得意で向いていることでも、能力を発揮できる環境にいないと飼い殺しにされてしまうのです。

この関係を整理してみましょう。以下は、ＭＩＴ（マサチューセッツ工科大学）で教鞭をとり、社会心理学の父と呼ばれたクルト・レヴィン教授が示した公式です。[※3]

B（behavior）：人の行動＝f（function）：関数P（Personality）：個人要因×E（environment：環境要因）

この公式の意味を簡単に言うと、**人の行動は個人のパーソナリティだけでなく、置かれた環境によって大きく変化する**ということです。

実際、私が選抜と育成を行った7000名の選ばれたリーダーたちは、新卒で希望した仕事についていないケースが約8割でした。ですが、「やってみたら、するするできて楽しくなった」「上司やお客様、同僚に恵まれ、気がついたら出世していた」というのが実情だったのです。

逆に「希望した仕事、やりたい仕事をやったけれど向いていなかった。イメージと実際は違った」という声もコンサルティングやキャリア相談の現場でよく聞きます。

得意なこと・向いていることを知るだけでは宝の持ち腐れ。それが発揮できる環境を見極め、選択してこそ、意味があるのです。

念のため、「今すぐ転職しろ」と言っているのではありません。今、所属している会社で、自分に有利な環境やポジションが得られれば、それに越したことはありません。

## ⦿得意から好きを見つけ出せ

注意が必要なのは、「得意なこと・向いていること」で、「儲かる仕事」についた場合です。向いているので、どんどん成功し、認められ、出世し、稼げます。ただ、それが好きでもやりたい仕事でもなければ、心にぽっかり穴があきます。そして、ある日突然「仕事にやりがいを持てない」と悩むのです。

では、どうすればいいか。**今の仕事に「好き」を見つければいいのです。**

ある大手公認会計士法人系のコンサルティング会社に勤務する39歳のエース会計士の例です。彼は、リスクマネジメントをクライアント先に提供していました。

でも、ひたすらクライアントにダメ出しを続け、イヤな顔をされるというこの仕事に、心の限界を迎えました。彼は、リスクマネジメントを得意としながらも、相手を尊重する資質も高かったのです。「ダメ出ししかしない」この仕事は、彼の資質とは合っていなかったのです。

そこで、私は彼に「どうすればリスクを回避できるかまで提案してはどうか」とアドバイスしました。「ダメ出しする人」ではなく、「助けてくれる仲間」という関係を築くように勧めたのです。これなら、彼の資質とも合っています。

すると、クライアントがびっくりするくらい喜んでくれたそうです。

何より、彼自身がワクワクし、さらなる探求心に火がつきました。「ルール通りにできなければ、罰を与える。これだけで動かせるほど、人の心理は甘くない」。そのことに改めて気づかされたそうです。

その経験から、彼は大学院で心理学を学び、今ではビジネスリスクと組織心理学を合わせたアプローチの開発に没頭しています。

得意なことであれば、実は「好き」を見つけることは難しくありません。少し視点を変えるだけでいいのです。**「仕事が楽しくない」というと、安易に転職を考える方が多いですが、違う組織に移るのは最後の手段。**コストとリスクが高い手段なのです。まずは、手近な得意から好きを探すことをお勧めします。

Point

**得意の中から、好きなことを見つけよう**

1.5

# 努力よりも「環境選びが9割」

新卒の初任給に差はなかったのに、30代になると給料の高さで友人と差がついてくる。ただ、そこだけに執着し、転職を考えると意外な落とし穴にはまります。

## ⦿報酬水準を決めるのは、結局「どこで頑張るか」

給料の高い低いは「業界」と「職種」によって異なります。新卒の初任給はそんなに差がなかった大学時代の友人とも、30代になると数百万円以上の年収差がつくこともありますが、そこに目がくらんで安易にキャリアを転向すると、人生を棒にふることになります。

このご時世、今の業界や仕事がイキナリなくなるかもしれないからです。とはいえ、

- 働いている割に報酬が少ない
- 今いる業界や会社に未来が見出せない

・お金で幸せは買えないが、お金がなければ幸せにはなれない

など、思うところもたくさんあるのではないでしょうか。がっつり働いて稼ぐより、自分の幸せを優先したいという人でも、働いた分だけの報酬は欲しいはずです。

ですが、皆さんもうっすらお気づきの通り、**報酬は能力、努力、個人の成果だけで決まるものではありません。**これで決まるのは「人事評価」だけです。根本的報酬水準は、業界や職種に応じて決まるのです。

見方を変えると、同じ仕事をするなら、高い年収を貰えるほうがわりはいいです。人事課長であれば、ＴＶ局なら年収１５００万円。一方、ガソリンスタンドでは３７２万円です。同じ仕事でも業界が違うだけで約４倍の差が出ます。

高い報酬水準の業界、会社、職種は何が優れているのか。それは、次の３つでわかります。

・儲かるビジネスモデルであること
・そのビジネスモデルが安定的であること
・人材の需要と供給のバランスがとれていること

**まずは、儲かるビジネスモデルであること**。たとえば、大企業でも、飲食業や介護職

は利益が出にくい構造なので、報酬水準は低めです。逆に金融やコンサルタント業は、経費は人件費や家賃＋αと少ないので、規模が小さくても報酬を高く払うことができます。

当然のことながら、大きく儲かる仕組みができていれば、人件費予算を高く取りやすくなるので、多くの収入を求めて人が集まるでしょう。

ただし、その**ビジネスモデルが安定的であること**が欠かせません。安定して儲かる仕組みになっていなければ人件費予算を高く維持できません。一度人件費を上げてしまうと、大きく下げるのは難しいからです。

だからこそ、今は儲かっていても今後が不安定な業界や企業は、月々の報酬水準をおさえ、賞与やインセンティブで総額人件費を管理するのです。

そして、最後に**人材の需給バランス**をみましょう。どんなに儲かっていても、働きたい人が多ければ、報酬が安くても採用できる可能性が高くなる。飲食業や介護職は低い報酬水準でも採用できるので成立しますし、逆も然り。コンサルタント業は、優秀なできる人材を確保する必要がありますが、そんな人の数は限られているので、報酬を高くしないと採用できません。

ＡＩなどのエンジニアは需要＞供給なので、新卒でも年収１０００万円前後出す会社がでてきたことは記憶に新しいでしょう。

**結局のところ、「どこで頑張るか」ですべてが決まるのです**。各業界の報酬水準を知りたい方は、厚生労働省の賃金構造基本統計調査を見てみてください。

転職エージェントは、求人情報に掲載する報酬額のデータをもとに数字を公表するので、実際の報酬水準を表しているとは限りません。むしろ毎年、東洋経済新報社が発表している『会社四季報』をベースにした「業界別40歳モデル年収ランキング」をお勧めします。

仕事は満足だが、35歳を過ぎても年収が低く、今後も上がる見込みがない。もう、その仕事の条件でしか転職できない……とならないよう、チェックしておきましょう。

Point

**高い報酬水準の業界、会社、職種の優れたポイントをチェック**

## 1.6

# 「ゆでがえる」になる前に、あなたがすべきこと

**いざ転職しようにも、チャンスを逃せば後の祭り。キャリアの賞味期限が切れる前に、業界や企業が瀕死《ひんし》になる前に、できることを教えます。**

### ◉ 30代のうちに「安全に挑戦しておこう」

30代で一番大事なことは、自分に向いていることで人生を代表するドカンと大きな結果を出すことです。この大きな結果をテコにして、次々とチャンスを引き寄せ、やりがいと報酬を充実させていくきっかけにするのです。

逆に40代になって、「出世も普通。リスクを取ったことやチャレンジもしたことがなく、コツコツと真面目に仕事してきました」という人に魅力を感じますか？　転職しようにも売りがなく厳しいであろうことは、採用する立場で考えると痛いほどわかるでし

ょう。

大きな失敗をして、それを乗り越えてきた人こそ、変化の時代に採用したいと思わせるのです。

**組織の中にいる30代は、挑戦しても致命傷を負うリスクはありません。**周りがサポートしてくれますし、責任を取らされるのはあなたではありません。その上司です。ちゃんと逃げずにやったのなら、実質、評価も落ちません。**組織の中にいれば無謀な挑戦などはありません。「安全と挑戦」はセット**です。

## ◉ 30代は、No.1を経歴に入れなさい

30代までのキャリアに必ず入れて欲しいのは、No.1を知ること。社内のNo.1ではなく、業界、規模、ビジネスなんでもいいので、頂点を知ること。No.1とNo.2では同業であっても、見える世界、つながる人々、働く仲間のレベルも違うからです。

また、スタートアップやテクノロジー系企業ではNo.1で働くこと自体が保険となります。スラック社をセールスフォース社が買収するように、No.1企業はもっと大規模のNo.

１企業に買収され、キャリアや報酬をあげてくれることになるからです。

最近、大企業はイノベーションを起こすために、スタートアップを買収するケースが増えてきました。それだけ、Ｍ＆Ａのノウハウが企業にたまってきたのです。

コツコツ積み上げても、№１企業への転職へは狭き門ですが、№１でいること、それ自体が次のキャリアへのショートカットとなることを覚えておいてください。

## ◉あなたの業界、会社の寿命を見極める方法

**キャリアと同じように、今、どんなに好調な業界や会社にも寿命はあります。**それを把握しておくことは、とても大切です。寿命が尽きるまで自分は残るべきか、他に移るべきか、いつ、どう移るか。それによってキャリアの組み立て方は変わるからです。

衰退の予兆は、事業のライフサイクルを見ればある程度予見できます。一般的には、「導入」「成長」「安定」「衰退・再展開」に業界や会社を当てはめて、どこに差し掛かっているかで判断するというものですが、今回は視点を少し変えます。

というのも、変化の激しい現代は「導入」→「成長」→「安定」→「衰退・再展開」の順番通りに進むとは限らないからです。レンタルＣＤショップ→ネット配信のように、

## 事業のライフサイクルの広がり方

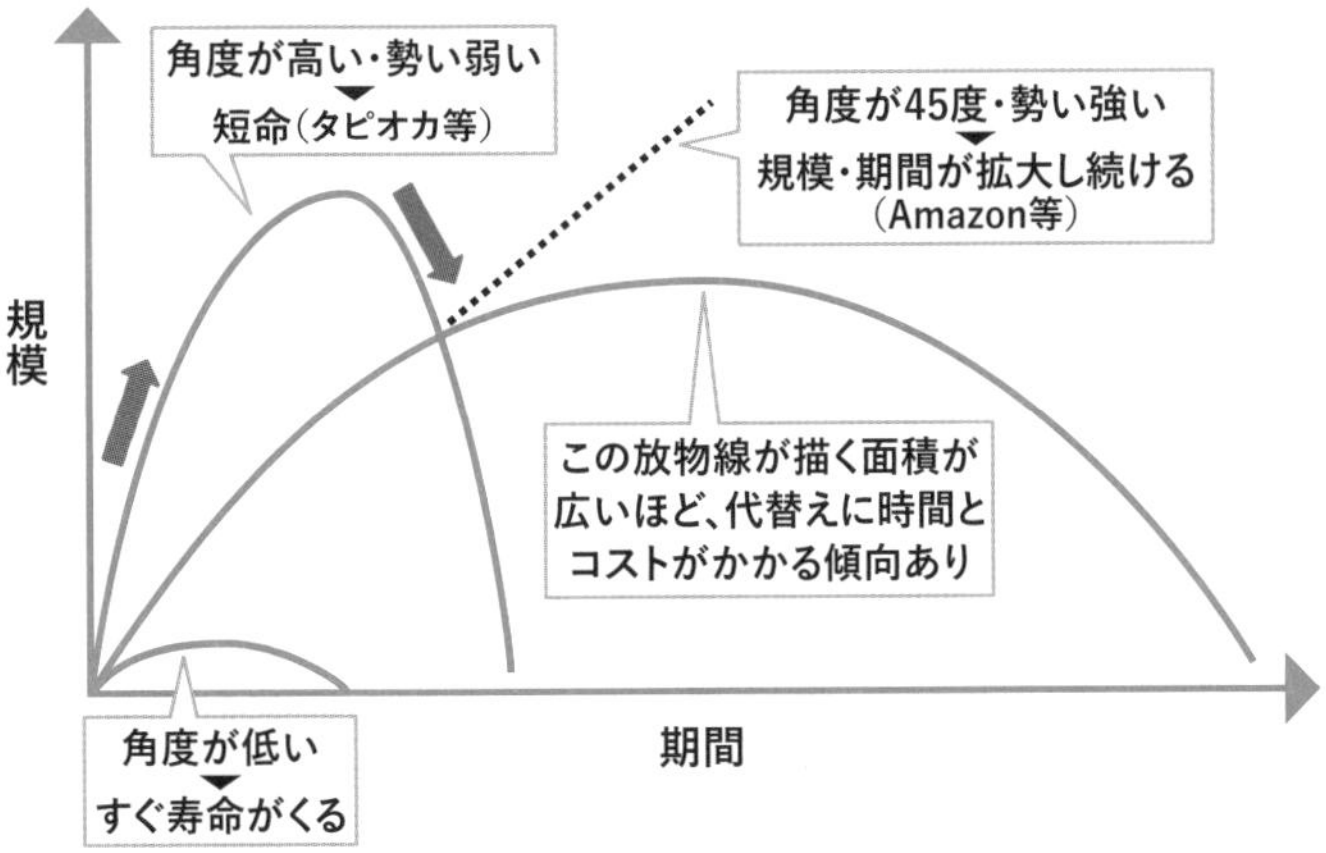


テクノロジーにより産業構造や事業が変わる速度が加速しています。

では、どこを見れば、業界や会社の寿命がわかるのか。それは、**成長期から安定期にかけて、どれだけの急角度と伸びがあるか**です。

次の図をご覧ください。縦軸は成長期における業界の規模、横軸は事業の期間を表わしています。この縦軸、横軸がゼロの地点から、45度の角度で放物線を描くようにボールを打ち返すことをイメージしてください。この放物線が描く面積が広いほど、業界の規模は大きく、変化するまでの時間がかかっています。

ということは、業界や会社の構造が変わるまでに時間がかかるということになります。大きい分だけ手間とコストがかかるからです。

このように、ご自身が所属している業界や会社のスケール、成長速度を振り返れば、ある程度は置かれている状況を把握することができるのです。

ただし、変化するスピードが遅い業界や会社にいるからといって、安心はできません。これは、あくまでも「時間稼ぎ」。寿命までの猶予期間なのです。

昨今、有人レジ→セルフレジに一気にシフトしているように、目に見える形で変化が起こるようになると、その後の動きはとても速い。油断はできないのです。

事業ライフサイクルを見極め、身のこなし方を考えましょう。

## ◉「ライバルの苦手」を探せ

**一番危ないのが、向いていないのに、好きなこと・やりたいことで、報酬水準の高い企業に入社してしまった場合です。**ゲーム好きだからとゲーム制作会社に勤めていたとしても、クリエイターとして優秀かどうかは別問題です。残念ながら、好きでも向いていないことでは結果が出ず、評価されません。さらに、今の環境での報酬水準がよければ他へ移ることもできません。まさに「ゆでがえる」状態です。

そのままでは一生その組織にしがみつくしかなくなります。リストラされたら「元○○です」と過去の栄光にすがるしかプライドが保てなくなる、寂しい人生です。

まだ30代なら、ゆでがえるになる前に脱却する策があります。自分が得意なことで、周りが得意でないことをみつけ、そこに一点張りすることです。つまり、逆張りです。

その会社でもてはやされる王道のスキルを持つ人は、おそらく周りにたくさんいるでしょう。ただ、物事には裏と表があるように、みんなが得意なことの裏側に、みんなの苦手が存在します。そこにあなたの得意を見出せれば、あなたの一人勝ちです。

「逆張り」の方法は2・4「みんなが得意の『裏』を突け」で解説します。

Point

## 業界、会社の変化を観察し、対策を打っておこう

本章の参考文献
※1・2　『自分らしいキャリアのつくり方』高橋俊介著（ＰＨＰ新書）
※3　『入門から応用へ　行動科学の展開【新版】―人的資源の活用』（生産性出版）

# 第2章

# あなたの知らない強みの見つけ方・活かし方

## 2.1

# キャリアは「アップ」ではなく「面積」で考える

**キャリアは一般的に、社内や同業界でのステップアップを想定しますが、上に行くほど道は険しくなります。あらゆる役職のイスには既に誰かが座っているからです。そんなイス取りゲームに疲弊しないキャリアの考え方を教えます。**

### ◉「横へのスライド」で、独自のポジションを

いつ空くかわからない熾烈なポジション争いを繰り広げるわりに、今の延長線上に未来がない。気づけば、この道一筋で潰しがきかなくなっている。P62の図のように、キャリアを縦方向で考えると、行き詰ってしまうことも少なくありません。

では、その下にある図のように、**これからのキャリアを、線で考えるのではなく、「面積」で考えてみてはいかがでしょう。**

面積を広げることで、自身の提供価値が広がり、その分、活躍できる場所が増えてい

## キャリアは「線」ではなく「面積」で考える

**他業界／企業／職種に、あなたの持ち味を持ち込み、
機能させるコツをつかむとオリジナルの付加価値を出せる。**

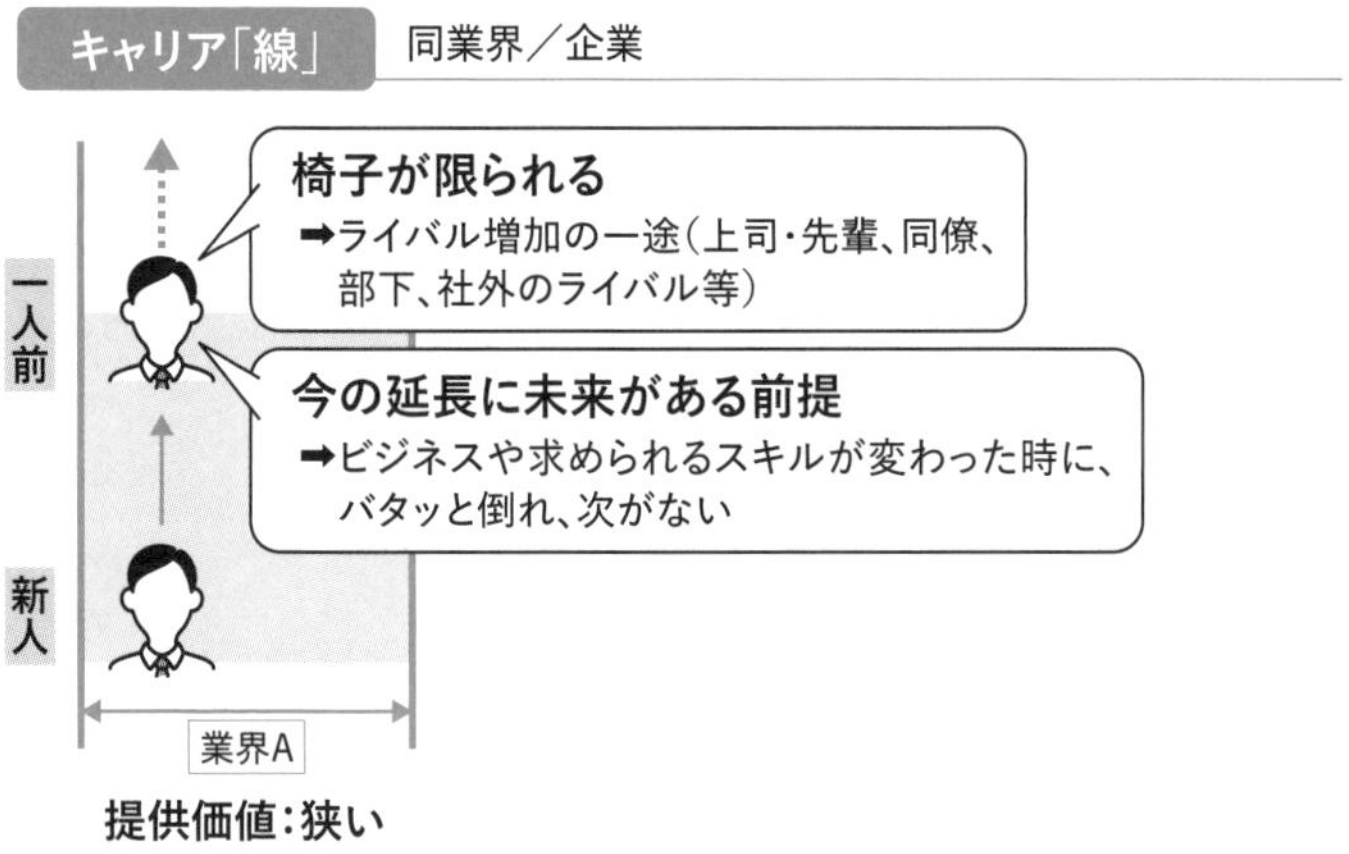


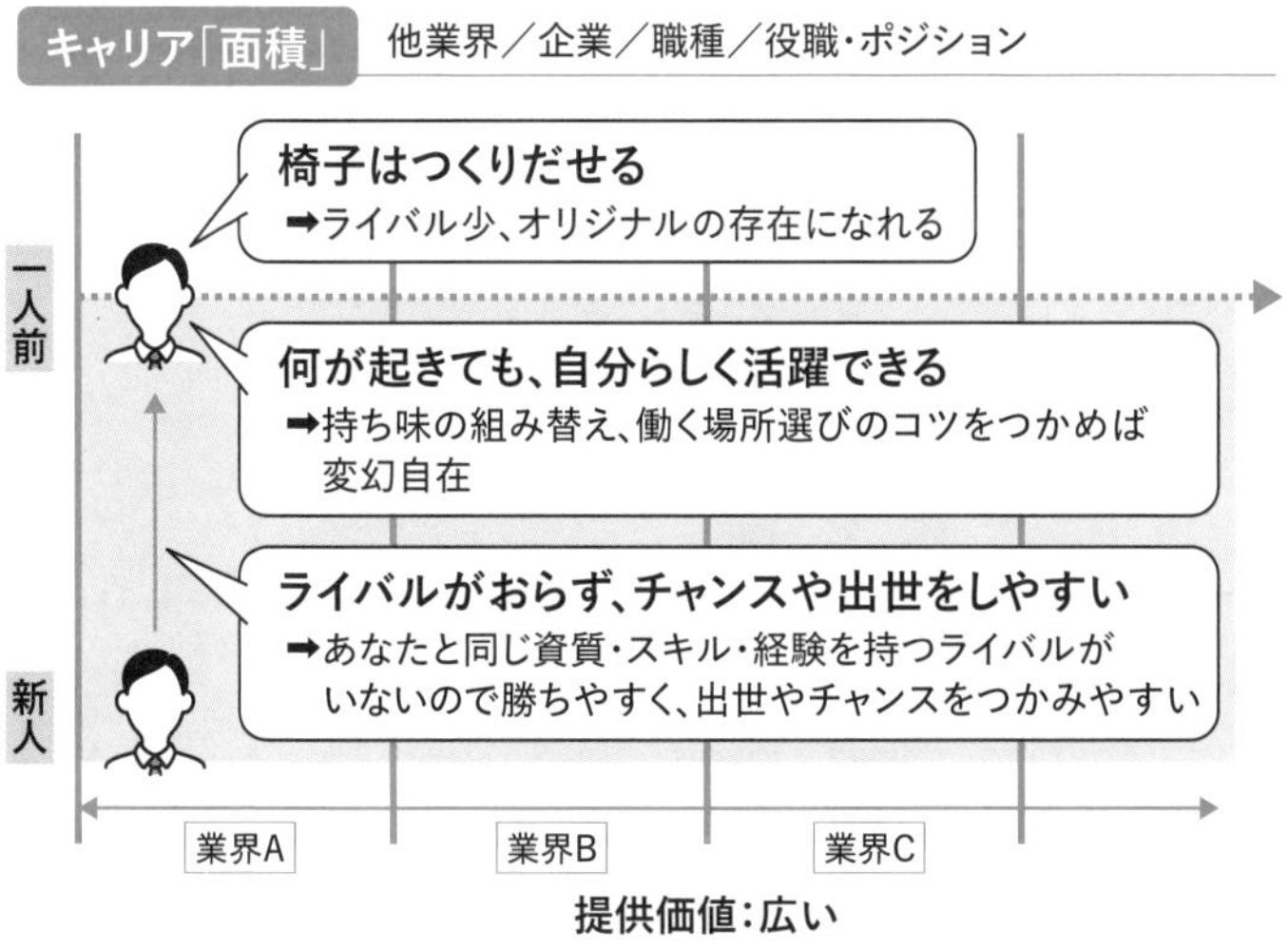

きます。図で言えば、面積が広がるほど縦長の長方形（異なる業界・会社・職種等を表わしています）をカバーできるので、あらゆる業界にスライドできるようになるという寸法です。

その好例が、お笑いのキングコングの西野亮廣《あきひろ》さんです。お笑いの世界で時代をつかんだうえで、先人のつくった道ではなく独自の道を歩んでいます。お笑いでつかんだ知見をスライドして、『えんとつ町のプペル』（幻冬舎）をはじめとした絵本作家、映画監督として、次々に当て続けています。

**このように、自身が活躍できる場を広げる時に必要な考え方が、「逆張り」です。**活動しようとしているマーケットで、必要だけど足りないよそ者の視点と知見は何か。そのポイントを観察して提供できれば、あなただけのポジションを確立できるのです。ある事例を紹介しましょう。

Aさんは30歳で劇団の役者でしたが、売れずに挫折。そうして就職した先は出来高制の営業職でしたが、ここで人生が逆転します。

「元劇団の役者」と名刺に書いたところ、営業先の中小企業の社長は興味津々でアポが取れまくり。さらには、劇団で培った洞察力、表現力、度胸が活き、とあっという間に売れっ子営業となりました。

ここで、Ａさんは気づいたそうです。「劇団の中では自分の演技力等は平均以下だったけど、場所が代わり、ライバルがいなければオンリーワンになれる！」と。

そして、営業研修の会社に転職し、営業研修のノウハウを身につけ、独立。現在は元役者の演技力をベースにした研修講師として独立し、大企業をクライアントにして年収２０００万円を越え、ブレイク中です。

そう、キャリアの面積を広げ、業界や職種をまたいで**横にスライドしていけば、簡単に生き延びる**ことができるのです。

## ⦿自分らしい面積の広げ方

キャリアの横展開は、何も本職に限った話ではありません。趣味を実益にすることだって可能です。

私の友人の早川哲郎さんは、元日本を代表するＤＪの一人。ダンサーの奥様と結婚され、子どもができたのでＤＪ職を減らし、元ＤＪの盛り上げ力を活かしたインタラクティブプロデュース業にシフトしました。

そして、早川さんは趣味だった牡蠣バーベキューを発展させ、牡蠣尽くし料理会を企画・運営を始めました。子守りもできるし、自分も周りも楽しくハッピーになるからです。元ＤＪで盛り上げ上手な資質を活かし、大人気となりました。

自分の資質を仕事の本業だけでなく、趣味に活かすことで副業の域を超え、複数の副業を持つことも可能なのです。趣味が副業ではなく本業をいくつも持つ感覚です。

それに、今はネットを活用したものであれば、すぐに起業することが可能です。

複業研究家で友人の西村創一朗さんは、累計50以上の事業を立ち上げたそうです。（２０２１年9月現在）。

その中で収益に結びついたら規模を拡大し、収益が薄かったり、自身の興味が薄れたら撤退。事業がたくさんあるので、全部が収益化できなくても、いくつかは太い柱になっているので困りませんし、興味関心があってやっていることなので楽しくて仕方がないとおっしゃっていました。

企業に勤めている人ほど、不動産投資、株式投資、ＦＸなどを通じて第２の収入の柱を確保しようとしますが、よほど好きや得意でないと長続きしません。専門性がない分野や「撤退」基準を自分で持てないので大損するリスクもあります。

それよりも、趣味を通じてキャリアの面積を広げるほうが、自由かつ長く楽しく続けられそうです。

副業ＯＫの会社なら無理のない範囲で小さく立ち上げ、続けてみるのも一つの手です。

さて、キャリアの面積は具体的にどう広げていくのか？　その方法は続く２・２「キャリアの面積は『人軸』と『場所軸』で掛け算する」でご紹介します。

Point

**横に移れば、可能性と選択肢は無限大！**

## 2.2

# キャリアの面積は「人軸」と「場所軸」で掛け算する

2・1に引き続き、キャリアの面積を広げる方法、キャリアを横展開するパターンやコツについて、具体的な方法を解説します。

### ⊙強みを掛け算しても、「普通の人」が出来上がる

キャリアの面積は人軸×場所軸で決まります。人軸とは、あなたの能力（資質・スキル・経験）、場所軸は、働く場所（業界・会社・職種・役職／仕事）です。

**ここで重要なのは、人軸は資質に沿ったスキルであることです。単にスキル×経験・実績を掛け算すると、業界の普通の人になるからです。**

転職エージェントのアドバイザーを例に、考えてみたいと思います。一番活かせるス

## キャリアの「面積」を広げる考え方

キャリアの「面積」が広くなると、キャリアや働き方の「選択肢」が増える。
結果、あなたと同じ資質・スキル・経験のライバルが減り、
出世／チャンス、報酬アップの「選択肢」がさらに増える好循環

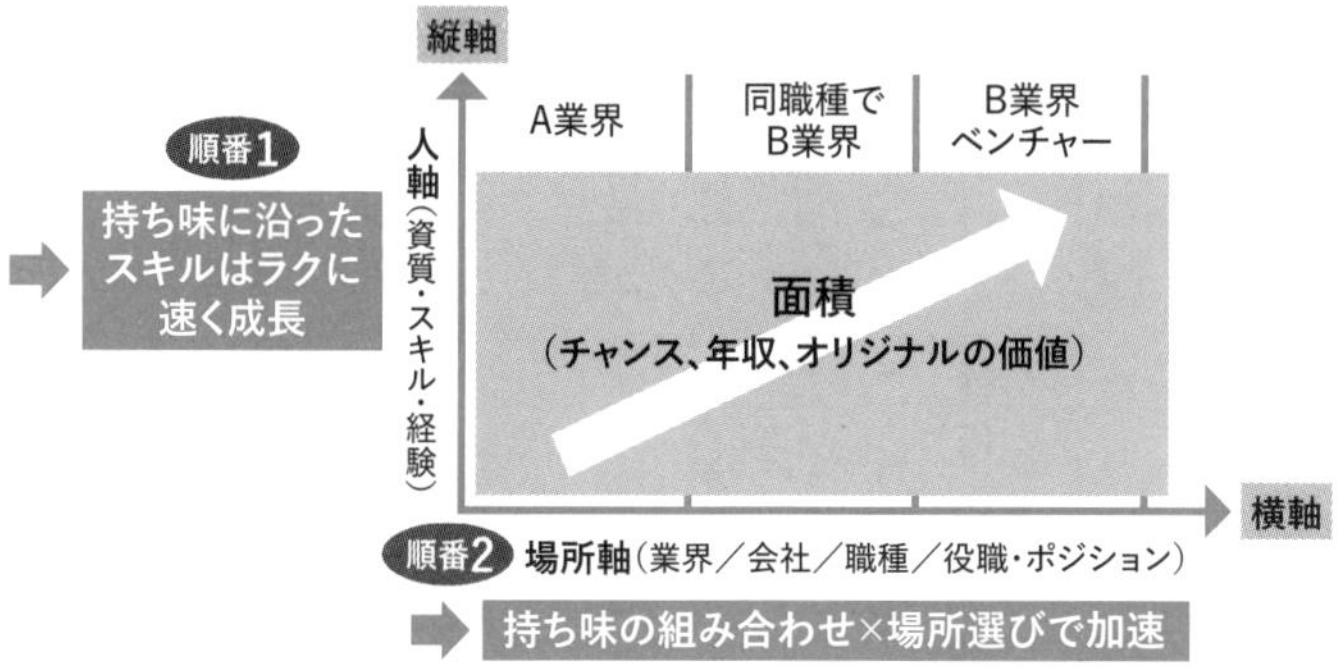


キルは「営業」のスキル・実績だとします。

30代なので、営業の実績を高めるために「マーケティング」のスキルを磨き、営業実績を上げる工夫をするのが順調なキャリアです。なので、

営業　×　マーケティング

ここまではいいのですが、ここから一歩突き出ることが難しくなります。

リーダーとして部下育成した実績があれば、

営業　×　マーケティング　×　部下育成

＝　普通の30代の営業

業界をかけてみると、

営業　×　マーケティング　×　部下育成　×　転職エージェント　＝　普通の30代の転職エージェントの営業

1／100人の強みや実績を持ち、それを3つ掛け算すると、1／100万人の存在になれる。そう提唱する識者は多いのですが、**同じ業界、職種であれば、同じようなスキルを習得し、経験・実績も差がつかないため、結局「量産型」になるのです。**

会社は一番儲かるメインのビジネスモデルをより太くするため、社員に主軸とその周辺の関連した仕事（営業がメインでマーケティングを経験するなど）をアサインするので、畑の違うスキルを習得しにくいものです（営業から異動して、経理や広報を担当するなどは、ほとんどない）。仕方がないことなのですが……。

そのままでは、会社に人生を預けるか、同業内を「回遊」するキャリアしか見えなくなります。

## ⦿資質を掛け算すると「オリジナル」になる

でも、ご安心ください。人軸には表にでているもの（顕在化）と、裏にあるもの（潜

## 個人の資質とは

- 資質は20代前半までに形成され、それ以降は大きく変わりにくい
- 資質にあったスキルでないと成長しにくい

氷山モデル

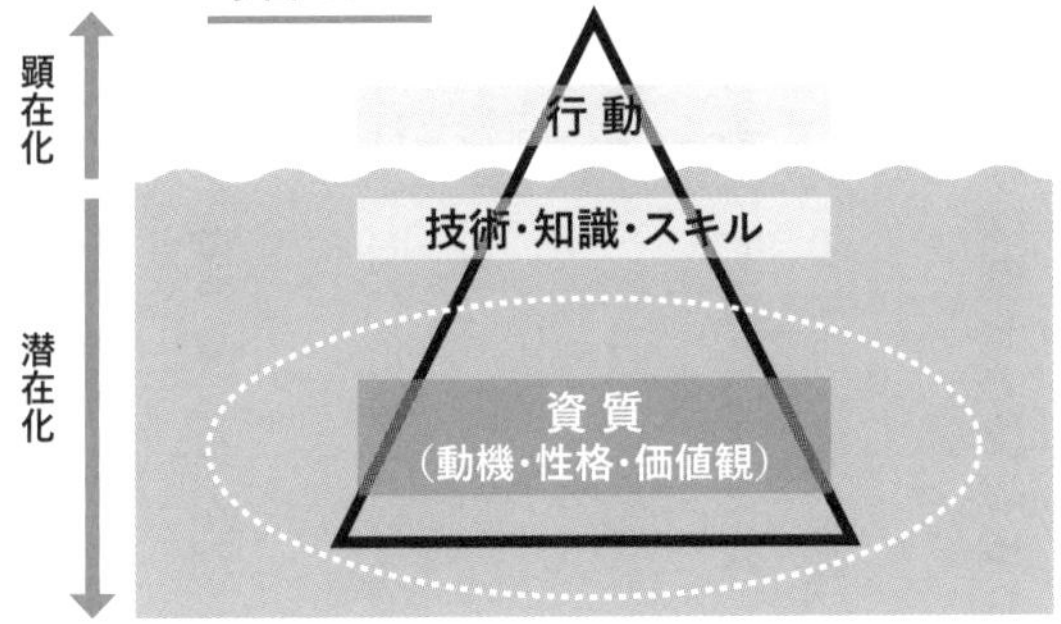


在化）があります。心理学では「氷山モデル」として整理されています。

　行動が顕在化していて見えやすく、技術・知識・スキルは水面で見え隠れし、奥深くにある資質は見えにくい。資質は、根本的な動機、性格、価値観などに当たります。

　資質とは、第1章で解説した通り「心の利き手」と呼ばれているものです。資質に沿った技術・スキルはラクにできるようになる「得意」なものですね。

　この資質を掛け算すると、簡単にライバルを出し抜くことができます。

　もう一度、先ほどの営業職を例に、見直してみましょう。

「速い」×「正確」＝「速く正確なので安心して任せられる御用聞き」

「速い」×「正確」×「気が利く」＝「速く正確な戦略パートナー」

このように、同じ営業でもスキルを掛け合わせただけでは、その他大勢になるのに、資質を掛け算すると、「戦略的パートナー」にまで抜きんでることができるのです。

## ⊙強みの組み合わせは、周りを見て決める

**複数コンボにすると、ライバルから頭ひとつ抜ける「オリジナル」なキャラになれます**。今のあなたのままで大丈夫。既にある資質を意識して使うだけで簡単に強くなれるのです。

そう、**「強みは自分で決められる」のです**。周りが「堅実」な人ばかりであれば、たとえば、「スピード」の資質を掛け合わせてみる。

資質を知り、組み合わせ、強みへの昇華の仕方がわかれば無敵になれます。

２・５「持ち味は４つの視点で洗い出す」から２・７「コンプレックスを『いい意味』で逆転させる」にかけて、あなたの資質の洗い出し方を解説します。

資質を洗い出してみて、組み合わせてみると、自分の持ち味や武器が見えてきます。

ぜひ、試してみてください。

Point

## 資質を洗い出し、スキルと掛け算せよ

# 2.3 あなたの資質に合う居場所の見つけ方

**合わない職場を抜ければ、そこにはまた居心地の悪い職場が広がっていた。とならないよう、あなたにとって最適な環境の見つけ方を教えます。**

## ⊙能力以上に大切な、会社や職種との相性

力士がマラソンに出るより、相撲をとった方が有利なように、自分の持ち味＝キャラを活かしやすい環境（業界・会社・職種）を選びましょう。その考え方は2つ。

### ① 伸びている場所を狙う

まずはマクロの視点から。業界、会社、職種選びは市場規模や売り上げが「伸びている」ところを選びましょう。組織がどんどん成長するのでポジションの数もチャンスも多くなるからです。

**伸びている業界は、帝国データバンクや金融機関の総研の市場予測を参考に調べれば、マクロの視点が手に入ります。**

また、30代ともなると同世代が組織の中枢で活躍し、業界や会社事情に詳しくなります。彼らから情報収集すると、生きた情報が手に入るでしょう。

## ② 自分の資質と相性がいいところを選ぶ

次に、ミクロの視点から。どんなに伸びている業界、会社、職種でも自分の資質と合わなければ辛いだけ。会社や職種と相性を見抜くには2つの視点が必要です。

### ②−1　会社との相性

つまり、組織文化＝空気です。それは、経営者や働く人の「判断基準」に注目すればわかります。**判断基準は、会社のミッションや価値観、行動基準に書いてあるので見てみましょう。**その基準をもとに「ポジティブ／ネガティブ」で判断し、相性をみるのです。たとえば、「みんなで決める文化」なら、

↓「ポジティブ：トップダウンで強引ではないな」

↓「ネガティブ：決定に時間かかりそう。総意なので、大胆な事業はやらないかも」

この判断基準があなたの資質と合っているなら相性はいい可能性があります。

たとえば、新しいことが大好きで、自らどんどん進めたい資質を持つ人なら、この会社には合わなそうですよね。逆に、みんなと仲よく、かつ堅実な資質の人なら相性はいい可能性が高いです。

いずれにしても、転職するなら、経営トップや働いている人と実際に話をしてみて、価値観や判断基準が合う組織なのかを検証することをお勧めします。逆に、出来てないことを戒《いまし》めるために、あえて価値観・行動基準にしていることがあるからです。

### ②ー2　職種との相性

「その仕事で成果を出すために必要なことと、具体的なコツはなんですか？」と、その職種に就く人に聞くことです。そこに、求められる資質が隠れています。たとえば、

事務職　「完璧を目指すより、60点で確認してもらうのがコツ」
↓「ポジティブ：要領の良さ」
↓「ネガティブ：完璧主義」

事務職でも、業界や組織で求められる成果や進め方は違うことがあります。やはり、自分の持つ資質がその組織の求めるものと一致するかを確認することは大切なのです。

あとは、「興味がある」「やってみたい」「うまくやれそうだ」など、あなたの肌感覚で選ぶといいでしょう。30代になれば、一定以上の鼻が利くので、最後は理屈ではなく心で選ぶのが正解です。

ただし、市場にはあなただけでなく、あなたに似たライバルが多いのが現実です。その中でも抜きんでて、自分らしく活躍するために「これだけ」やれというコツを2・4「みんなが得意の『裏』を突け」で解説します。

Point

**自分の資質を活かせる場所選びの情報収集をしよう**

# 2.4

# みんなが得意の「裏」を突け

**自慢できる実績もスキルもない。そうした悩みをよく聞きますが、なんの問題もありません。社内、業界をまたいで活躍する「逆張り戦略」をお教えします。**

## ◉「みんなの苦手」に突き抜けるチャンスがある

みんなが得意な仕事はライバルだらけですが、その裏には逆にみんなが苦手な仕事が必ずあります。

**このみんなが苦手な仕事にあなたの得意をぶつけていくと、ライバルがいなくなり、独り勝ちできる**のです。

例を出しましょう。Aさんは、不動産系の会社に営業で入社しましたが、非常に真面目でコツコツ分析するのが得意でした。ただ、この会社の営業は勢いでお客様を盛り上げて売るスタイルが王道であったため、Ａさんの資質は真逆でした。「向いていない」と悟ったＡさんは、法務に異動願いを出しました。異動先の法務の仕事は、Ａさんの資質と合っていて、Ａさんは着実に専門性を高めていきました。

１年もすると不動産に関する法律面では社内№１となり、営業でトラブルが起きると、同行を求められるようになりました。勢いのセールストークを売りにする営業部は、きっちりとした交渉が苦手なのです。

結果、Ａさんが同行するとトラブルは最小限で着地するようになりました。法務に異動１年で、年収も４００万円ほど昇給しました。

**このように、誰もが苦手な分野にハニースポットがある可能性は高いのです。**

## ⦿重要だけど人気のないポジションは、おいしい

業界の中で逆張りをしておいしいポジションを見つける手もあります。業界の中で**重要だけど、あまりなり手が多くないポジションを見つけ、そこに移る**のです。

たとえば、ＩＴ業界ならばエンジニア出身の人事というポジションを取る。ＩＴ業界

のエンジニアは慢性的な人不足です。常に人事に悩みを抱えています。

そこで、エンジニアの気持ちがわかる人事がいると、課題が肌感覚でわかっているので、的確な対策を打てる可能性が高まります。エンジニア出身だからこそ、心を開きやすいというのもあるでしょう。

もちろん、いつまでも現場で働きたいエンジニアがたくさんいることは理解しています。だからこそ、経営と現場をつなげる人材は貴重なのです。

「それなら40代になってからでも構わないのでは?」と思われるかもしれませんが、それでは間に合いません。40歳で人事に転身して実務を3年で覚え、2年で実績をあげても45歳で一人前。45歳であれば部長クラスのマネジメント経験も求められます。となると、同じ業界内の中で、おいしいポジションを取るには少し遅いのです。

同業の中で逆張りすると楽しそうな仕事があるか、探してみるといいでしょう。

**コツは社内異動で実績をつくり、突き抜ける準備をすること。**いきなり他社の異職種に移るとポジションと報酬が下がりますが、社内異動なら同じ条件ですむからです。

## ⦿他の人にない経験を見つけよう

30代で実績や経験は普通かそれ以下でも、**他の人にない経験や特技があれば逆転できます。**

40代のＢさんは大手システム会社のエンジニアで評価が低く、リストラされてしまいました。そこで過去の経験や特技を洗い出し、他のエンジニアが苦手で自分が得意なことをピックアップ。過去Ｂさんのプロジェクトメンバーではメンタル不調者や退職者を出さなかった経験とノウハウを、成長中のＩＴ企業に売り込んだら大成功。苦労して採用したエンジニアがボロボロ辞める現状を助けて欲しいと、管理部門の責任者に。報酬も、前職より2割アップです。

誰もが強みとしてアピールするスキルや実績の裏に着目し、誰もが苦手であなたが得意な実績を見つければ、あなたの独壇場になります。

Point

**周りをよく見て、打ち出す特技を変える**

# 2.5

# 持ち味は4つの視点で洗い出す

**2・2で説明した「持ち味＝資質」を知るには、どうしたらいいか？　一人で悶々《もんもん》と考えても答えはでませんが、次の「4つの視点」に沿えばサクサク洗い出せます。**

## ◉資質を洗い出す4つの質問

「私の持ち味＝資質とは？」と自問自答してもなかなか出てきません。しかし、次のマトリックスを使えば洗い出せると考えています。まずは、この軸について説明します。縦軸は、「顕在化」「潜在化」、横軸は「表」「裏」です。

　資質はすべてが表出しているわけではありません。普段の生活ではメインとして表に出てこなくても、災害などの非常事態などに浮き出てくる潜在的な資質や、心の中にしまっておいて使うのを忘れていた資質もあるのです。

**資質それ自体に良い悪いはありません。しかし、捉え方や状況によってはポジティブにもネガティブにもなります。**「強いリーダシップ」ならポジティブですが、ダークサイドに使うと「強引・パワハラ」になってしまうのと一緒です。

顕在化している資質も、潜在化している資質もあなたの財産です。洗い出したうえで組み合わせ、独自の「強み」にしていきましょう。

最初は資質の洗い出しです。マトリックスの各象限に、一つずつ問いがあります。

・「ありがとう」の声を集める
・得意なことの解釈を因数分解する
・コンプレックスをいい意味で逆転させる
・「心に引っかかること」に着目する

この順番で問いに答えながら進めていきましょう。

## 資質をあぶりだす4つの視点

資質全てが顕在化しているとは限らない。
以下の4つの視点から、潜在的な資質も含めて洗い出すと、
自分らしい、オリジナルな資質が見つかる。

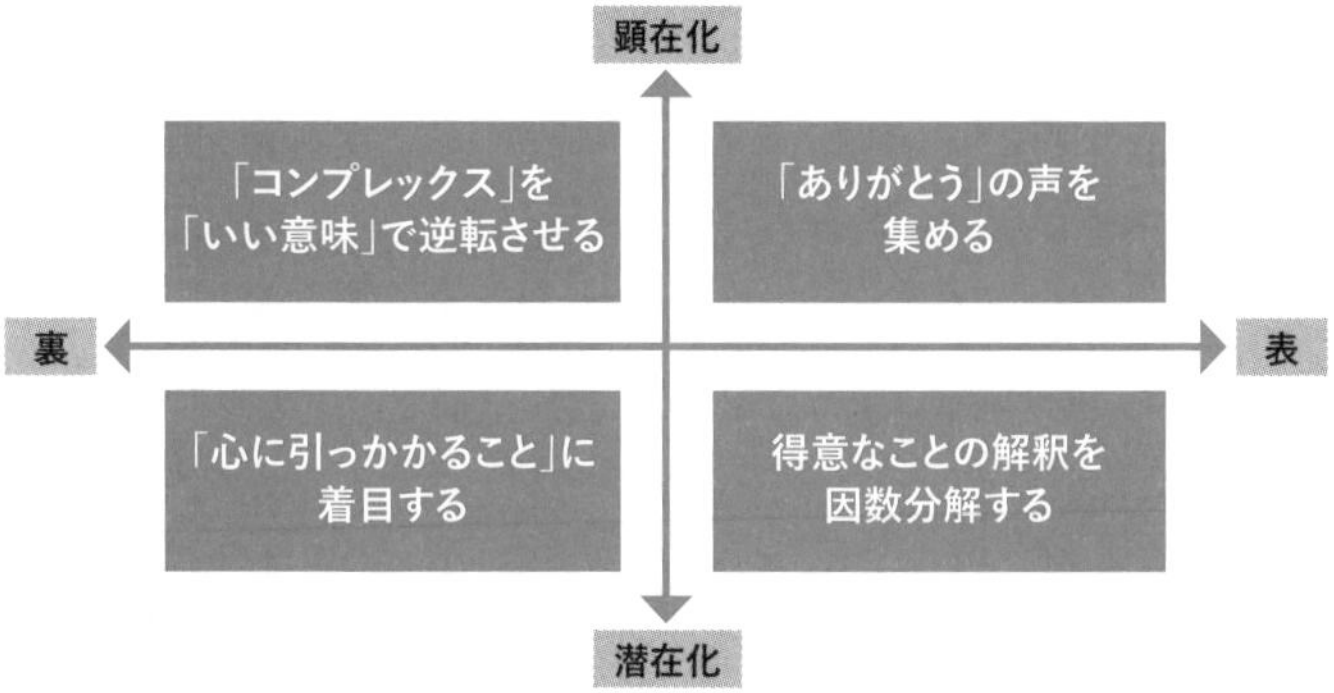


### ⊙「ありがとう」の声を集めてみる

自分の資質を知る最初のステップは、あなたがどんな「ありがとうの声」を貰っているのかを知ることです。「ありがとう」の声は、周りが認めている、あなたの顕在化している、現在メインの提供価値です。あなたの「メインキャラ」と言えます。

・いつも素早い対応、ありがとう
・「気が利く」提案、ありがとう
・頭の整理につきあってくれてありがとう

というように、ありがとうの内容を一つひとつ確認しましょう。

**注意したいのは、この「ありがとう」が期待と違っても、素直に聞くことです。**「イメージと違う」と思っても、相手の認識が答えです。

ただ、日本の職場は「ありがとう」と感謝は伝えても、何に対してかということは省略されてしまいがちです。「ありがとうの中身」を相手に聞くには、さりげなく

・私に頼みたい仕事って、どんなものがありますか？
・素朴に、その仕事を頼みたい一番の理由は何ですか？

と聞いてみると、相手は答えやすくなります。

Point

**あなたのキャラは自分ではなく周りの認知でき上がっていることを知る**

## 2.6 得意なことから資質を洗い出す

「ありがとう」の声はあなたのメインキャラですが、あなたが知らない「あなたの強み」もあります。その強みを知る方法、知りたくありませんか？

### ◉資質は2つの視点から探せ

あなたの得意なことはいくつかあるでしょう？　その中に資質は隠れています。

周りと比べて「これって人より優れているかも」「そういえば、得意かも」と思えることを書き出していきましょう。

具体的には、２つあります。**一つは、「人より、速くラクに、飽きずにできること」です。**どんどん書き出してみましょう。どんな些細《ささい》なことでも構いません。

・締め切りは必ず守る

・どんな人ともすぐ友達になれる　など

この得意なことの中にある、資質を取り出します。「なぜ、速くラクにできるのか」、その理由を因数分解するのです。

・締め切りを必ず守るのは、先読みする感度が高く、逆算して段取りできるから
・どんな人ともすぐ友達になれるのは、感受性が高く、相手に寄り添って話せるから

すぐに友達になれる理由も人によってまちまちのように、同じ得意なことでも人により、活用している資質は異なるのです。

例のような感受性の高さや対人理解力ではなく、「絶対に受け入れてくれるという自己肯定感が高い」という理由を出す人もいるでしょう。１００％の正解はないのです。

ただ、ここで疑問に思われるかもしれません。普段、潜在化している資質に自ら正しく気づき、因数分解などできるのか？　ということです。そもそも、得意なことや因数分解した結果も、「自分で思い込んでいるだけ」かもしれません。

そうならないよう、検証が必要です。資質は選んだ得意なこと以外でも無意識に発揮されています。この章で紹介している他の方法でも検出できない資質は、思い込みや自分をよくみせたい見栄の可能性大です。

## ⊙飽きずに没頭できることは何？

**2つ目は、飽きずに没頭できることを書きだすことです。**

飽きずに没頭できるということは、成果がでれば向いていることですし、成果がでないとしても、モチベーションをあげ続ける秘訣が隠れています。

注意点は、惰性や何かの仕組みの掌《てのひら》に乗せられていないかです。ネットやスマホのゲームは、プレイヤーがのめり込む仕組みが埋め込まれているので、飽きずに没頭できますが、これは資質ではありません。

飽きずに没頭できる資質は、子どもの頃にさかのぼると、本質的なものがみえてきやすいです。

ビル・ゲイツは若い頃、プログラミングが好きすぎてMicrosoft BASICのもととなるプログラムを開発しました。それがのちのWindowsにつながったことは有名です。

子どもの頃は飽きっぽいので惰性で何かをやるというのは少ないものです。あの頃、夢中になったことを思い出してみましょう。親に聞いてみるのもよいでしょう。親の方が意外と子どもが夢中だったものを客観的に覚えて思い出にしているからです。

同じ仕事だと、ライバルも同じような「ありがとうの声」をもらっています。でもそこに、自分が苦もなくやっていること、意図せず感謝されたこと、飽きずにできることを因数分解して、資質を掛け算すれば、それは武器になります。あなた独自の提供価値にレベルアップするのです。

Point

**「ラク」「飽きない」の視点で資質をあぶり出そう**

2.7

# コンプレックスを「いい意味」で逆転させる

**欠点やコンプレックスといった人のダークサイドは資質の裏側です。光を当てることで、逆にあなたのキャラをオリジナルにする決め手になります。**

## ◉「コンプレックスの裏側」を見よう

**まずやってほしいのは、「あなたの苦手なことを書き出す」**。これだけです。

そして、次に苦手なことの裏にある得意なことを書き出します。

コツは「逆に」を入れることです。

・人と同じが苦手　↓逆に↓　新しいコンセプトを考えるのが得意
・無口　↓逆に↓　一人で飽きずに正確にコツコツと没頭することが得意

このように、苦手の反対側を考えると、意識していなかった資質がハッキリします。ここで現れた資質は、実は普段活用している資質です。苦手なことを無理に直す必要はありませんが、反対から見ることで得意なことに光を当てましょう。

昔、つんく♂さんがTVで「この歌がヒットするかどうかは最初にアーティストに曲を渡した時のリアクションでわかる」という趣旨のことをおっしゃっていました。「これ私（達）が歌うのですか！」と露骨に嫌な顔をした時は売れるとのことです。楽曲を提供するアーティスト本人が、嫌で隠したいと思っていることまで含めて、いい形で強調することが魅力を最大限に引き出すことになるそうです。

とはいえ、理屈ではそうでも、人は自分をよくみせたい生き物です。普通の人は、欠点が魅力に変わると聞いても怖くてしょうがないことは当たり前です。

なので、今回は特別な魔法を教えます。誰でも自分の欠点や嫌いなところを魅力に変える方法です。

## ⦿魔法の「ネガ→ポジ」辞典

人はたくさんのコンプレックスを抱えているのが普通です。「長所」と違い、不思議な

くらいたくさん数が出てくるでしょう。たとえば、

・過敏
・ルーズ

次にこの言葉の下に「いい意味で」と書きます。

・過敏　↓「いい意味で」
・ルーズ↓「いい意味で」

最後に、実際に欠点をいい意味で置き換えた言葉を書いてみてください。

・過敏　↓「いい意味で」↓「几帳面でミスは起きない」
「感受性や観察力が高い」
「人の気持ちの変化に気づきやすい」
・ルーズ↓「いい意味で」↓「切り替えがはやい」

「打たれ強い」
「細かいことは気にせず、前に進む」

出てくるでしょう。「いい意味で」と捉えなおすことで、自分では気づかなかった魅力に気づかせてくれるのです。

どんな優秀な人でも完璧な人はいません。**何かに秀でている人は、必ず真逆の欠点やコンプレックスを持っていますが、克服ではなく、うまく魅力に変換しています。**リーダーは意外と甘え上手。そういう人、あなたの近くにもいるでしょう。このアプローチはコンプレックスを乗り越える機会になります。

今のまま、そのままの自分でＯＫなのだという勇気も出てきて自分に対してポジティブに元気になれるのでお勧めします。

### ◉「ざわついたこと」を書き出すメリット

同じ現象でも腹をたてる人とそうでない人がいるように、人の心にひっかかるものは、自分が大事にしている資質が隠れているものです。

ふとした時に心をざわつかせるものを書き出してみましょう。

**① イライラしたことの中身をみつめる**

『人生がときめく片づけの魔法』（サンマーク出版）で世界的なベストセラーとなり、片付けブームの火付け役となった近藤麻理恵さんは、片付けが好きすぎて寝込んでしまう、少しでも散らかっているとイライラすると、その著作の中に書いてありました。整理整頓や片付けに資質がない人は、散らかっていても気にならないでしょう。そう、イライラすることの中に自分の資質が隠れていることがあるのです。

**② 叱られたことを見つめる**

あなたが怒られたり、叱られたりして指摘されたことの中で、心に引っかかるものがあれば、あなたの資質が隠れている部分になります。

見方を変えてみましょう。落ち着きがないは「行動力がある」、最後まで頑張れないは「柔軟性がある」など、指摘されたことを逆に置き換えると資質があぶり出ます。

**③ 落ち込んだり、嫉妬した理由と向き合う**

**落ち込むことや、嫉妬を覚えることは、実は自分が密かに思っている得意なこと、優れていること、自信があると思いたい、大事なことです。**他人の素晴らしい才能や結果に触れると、自分の得意技であるほど、落ち込みや嫉妬が激しくなります。

ざわついたことの中にある資質は、気づいて使っているものもあれば、資質だとはまったく気づかなかったもの、資質とは受け入れたくないものもあるでしょう。

蓋を開けて何が一番引っかかっていましたか？　それが、あなたが本当に大事に思う資質です。思い切って封印を解くと、あなた本来の新しい一面が出てきます。

Point

## 心がざわつくこと、欠点や嫌いなところを武器にしよう

# 第3章

# 「効果の出る仕事」に集中せよ

3.1

# 日本企業の「目標設定」が間違いだらけである理由

仕事において「目標設定」は重要ですが、納得のいく目標設定ができている人は極めて少ないのが現実。特に30代は、上との「茶番」に付き合わされることも多いはず。本当に納得のいく目標設定の仕方はあるのでしょうか。

## ⊙「具体的な目標設定」は誰のため？

「頑張ったこと」が評価される20代と違い、「早く結果を出す」ことを求められるのが30代。この章ではそのための方法を説いていきます。

会社において「結果を出す」とはすなわち、「目標を達成する」ということ。しかし、多くの日本企業では、肝心の目標設定が「あいまい」にならないことに注力し、結果、「やる気」も起きず、「納得感」がないまま進んでしまう、という問題があります。

目標設定は具体的に――そう上司や人事から指導を受けた人は多いでしょう。目標を

より明確にするには、「ＳＭＡＲＴ」の視点が大事だと言われています。ＳＭＡＲＴとは、

**Specific**（具体的に）誰がみてもわかるように具体的でわかりやすいこと
**Measurable**（測定可能な）目標の達成度は誰がみても判断がブレないこと
**Achievable**（達成可能な）目標が希望や願望ではなく、達成可能であること
**Related**（経営目標に関連した）経営目標、組織目標ときちんと連鎖していること
**Time-bound**（期限がある）いつまでに達成すればいいか期限が決まっていること

の略称です。確かに、ＳＭＡＲＴで目標は明確になります。

しかし、この**ＳＭＡＲＴによる目標設定は、あなたのためというよりも、会社や人事のためにある**ものです。

たとえば、「今期末までに、３０００万円の個人売上を達成する」という目標には数値化された明確な指標があるため、評価の判断にズレが生じません。

それこそが、人事や上司にとってとても価値があることなのです。**人事や上司が評価結果を部下に納得させるのに、余計な手間暇をかけずにすむ**からです。

企業にとって、人事評価は極めて難しい課題です。自己評価と実際の評価に差異があればあるほど部下としては納得できませんし、上司はその説明に時間を取られます。そして、最後は「人事制度が悪い」という話になり、人事としては「勘弁してよ」という話になるわけです。

「できた／できない」の境界線があいまいであればあるほど、その問題は大きくなります。だからこそ、ＳＭＡＲＴを使って設定した具体的な目標が必要とされるのです。

## ◉部下を巻き込んだ目標設定という「茶番」

でも、目標を達成する当事者として、あなたはこのＳＭＡＲＴによって立てられた目標で、やる気が起きますか？

普通は起きません。

上司が担っている組織目標や、昨年のあなたの実績などをもとに、「これくらいやってよ」と上司から数字が出される。それに対して、「これはちょっと大きすぎます」などと交渉し、落としどころを探る。正直、それでも過剰な目標となることが多いが、上司も数字の責任を課されていることを考えると受けざるを得ず、部下としては「大人の対応」を取らざるを得ない……。

SMARTによる目標設定は、実際にはそんな「茶番」によって作られた作文になってしまっているのではないでしょうか。やる気が起きないのは当然です。

当然、「納得感」もないでしょう。ただのルーティン作業と一緒だからです。

目標管理のマニュアルには、「目標設定時に部下を巻き込み、部下自身に自身の目標を考えてもらうことでモチベーションが高まる」と経営学者のピーター・ドラッカーが言ったなどということがまことしやかに書かれていますが、これはドラッカーの発言の都合がいいところだけを抜き出したものにすぎません。

やる気の起きない目標では、それを達成しようなどという気も起きようがありません。**まずは、やる気の出ない目標を「自分事」に変える。**これが、最短で結果を出すスタートとなります。

Point

**会社から与えられた目標を鵜呑みにしては、いつまでたっても結果は出ない**

# 3.2 数値目標は「リアルなほめ言葉」に置き換える

**いくらやる気の出ない目標でも、それを達成できないと評価が得られないのが30代。こうした目標を、納得できるものにする方法はあるのでしょうか。**

## ⦿目標設定に意味を持たせる方法

3・1では「会社から与えられた目標でやる気が出るわけがない」というお話をしました。とはいえ、「そんな目標は無意味だ」と突っぱねられないところが、30代の辛いところです。ならば、こうした茶番をどれほど意味のある目標にできるかを考えたほうが、よほど生産的です。

その方法は簡単です。**課された目標を達成したらどうなるのか、どれだけ「すごい」ことになるのかを、あなた自身の言葉にしてみる**のです。

「今期末までに、3000万円の個人売上目標を達成する」だったら、

・これを達成したら、社内だけでなく業界でも伝説になる
・部門に貢献したと、上司だけでなく同僚にも喜んでもらえる

などです。無味乾燥な数値目標を、「こんなにすごいこと、喜ばれることをするのだ！」という自分事として前向きに捉《とら》えなおすのです。最初の段階では、願望や一人よがりでも大丈夫です。半年や1年間等、評価期間も意識しなくていいでしょう。

以下のような切り口を意識してみてください。

・世の中や市場にどれくらい影響を与えるものなのか？
・事業や部門に、どれくらいインパクトを与えるものなのか？
・周りの認知がどれだけ変わるくらい凄いことなのか？　など

文章に書き出してみるのもいいでしょう。どうしても出てこなければ、取り組んでみたい目標や得意なことでもOKです。書き出すことで客観視できます。

例　「10年後の我が社の柱になる事業を立ち上げた伝説の社員になれる」
　　「エクセルの集計が得意なのでほめられたい」　など

## ⦿ここでも大事になる「ありがとう」

次に、それを達成した時に、周りからどんな「感謝」の言葉をもらえるかを想定し、検証してみましょう。

コツは上司、同僚、部下、取引先など、具体的な個人を思い浮かべること。社長や会長などでもいいのですが、あまり普段接していないと具体的にイメージできないので、「上司の上司」くらいまでがいいでしょう。

こうして最初は独りよがりだった目標を、より現実的なものに近づけていくのです。

例　「提案の中から３つ実現できそうなものがあったね、ありがとう」
「これでみんな集計業務の時間をなくせるね、ありがとう」
「御社の迅速な対応のおかげで売り逃しを防げた。本当にたすかりました」
「アドバイスのおかげで受注できました。ありがとうございます」

いかがでしょうか。目標達成時にどんな感謝の声をもらえるかをイメージすると、ぐっとリアリティが湧いてくるのではないでしょうか。第２章にて、自分のキャリアを考える際に「ありがとう」を思い出してみることの重要性をお話ししましたが、ここでもそれが重要になるのです。

さて、ここまできたら、改めて具体的な目標に落とします。もし、それが半年や一年の評価期間内に収まらないような活動になりそうなら、その期間内にここまで達成するという中間的なゴールとして落とし込みましょう。

このプロセスを踏まえることで、単なる数字だけの目標に取り組む意味が背骨として通るようになり、魂や体温が伝わるようになります。

Point

### どんなに「すごい」ことかが、自分の「正義」になる

「すごい」目標にはプラスの効果があります。どう「すごい」ことかを考えると、それは「自分の成長目標（ビジョン）」にもなります。ドラッカーの三人の石工の話で「教会を立てている」と答えた職人のように、働く意味を自分に与えてくれるので、落ち込んだ時、叱られた時、ミスした時の心の拠り所にもなるのです。

# 3.3

# 「攻略法付き行動計画」は最強の武器となる

**多くの人にとって行動計画が単なる「予定」でしかないのに対し、できる30代はそれを「攻略法」にしています。その秘密を公開しましょう。**

## ◉あなたの行動計画は「小学生の夏休みの計画」になっていないか？

「魂や体温が伝わる」目標設定ができたら、あとはそれを行動計画に落とし込んでいくステップとなります。

その際のセオリーと呼ばれるのが、「期日から逆算して、日々の行動計画に落とし込む」というものです。1カ月後の売上５００万円に向け「○月1日までに顧客に企画書提出」「○月15日までにアポを取って商談」などといったものです。

ただし、これではただの「予定」です。しかも、**予定通りに物事を進められる人は極めて少数です**。小学生の夏休みと一緒で、宿題を予定通りにこなせる自制心を持つ人はごくわずか。私も含め、8月末に宿題を一気にやっていた人も多いはずです。

さらに言えば、予定を「頑張ってこなす」だけでよかった20代の頃と違い、30代には「成果」が求められます。「企画書は予定通り送りましたが、反応ありませんでした」「商談は予定通りにしましたが、ダメでした」では通用しません。

つまり、**単なる予定表を「効果の出る行動計画」にしなくてはいけない**のです。

## ◉「攻略法付きの行動計画」なら、すべてがスムーズに進む！

では、「効果」が出る行動計画はどう策定すればいいのか。

期日、タスク、ノルマといった予定だけではなく、「こうすればうまくいきそうだ」という「作戦」までが盛り込まれた行動計画にしていく必要があるのです。

・予定：ゴールから逆算した予定、ノルマ、タスクが書かれたもの
・作戦：効果が出るコツが、筋書きに沿って盛り込まれた攻略方法

もし、あなたがオンラインゲームで効率的に勝利を収めたかったら、その攻略法が載ったサイトを見るはずです。任天堂のベストセラー『あつまれ　どうぶつの森』のようなゲームでさえ、攻略法を見ながらやる人が多いのが現実です。実際、人気のゲームは攻略本もベストセラーになっています。

**仕事も同じ。自分で情報を仕入れて攻略本を作ってしまえばいいのです。**

「予定を立てる前に攻略法を考える」……考えてみればごく当たり前のことです。

たとえばオセロのコツは「先に四隅を押さえる」ことです。しかし、それを意識せずに目の前のオセロの駒をひっくり返すことばかりに気を取られていると、いつの間にか勝負がついていた、ということになります。作戦を立てずに目の前の予定だけをこなしているというのは、まさにそんな状況です。

どのような流れで四隅を取るか、そのためには相手をどのように誘導するかといった「作戦」をもとにゲームを進める。仕事も同じです。

そしてその作戦を元に「効果を上げるコツ」を細かく具体化させて、コツ付きの行動に因数分解するのが重要です。時間割にまで落とし込んでしまうわけです。

左ページにそんな「効果の出る行動計画」のサンプルを掲載しました。攻略本の設計方法は次項で解説します。

Point

## 仕事もゲームと同じと考えて、「攻略法」を導き出していこう

## 逆算した計画と作戦が練られたプランの違い

**一般的な逆算した計画**

| 日程 | 計画（予定） |
|---|---|
| 10/1 | 決定　1件　訪問△件　アポ□件　電話・・件 |
| 10/2 | 決定　2件　訪問△件　アポ□件　電話・・件 |
| 10/3 | 決定　3件　訪問△件　アポ□件　電話・・件 |
| 10/4 | 決定　4件　訪問△件　アポ□件　電話・・件 |
| 10/5 | 決定　5件　訪問△件　アポ□件　電話・・件 |
| 10/6 | 決定　6件　訪問△件　アポ□件　電話・・件 |
| 10/7 | 決定　7件　訪問△件　アポ□件　電話・・件 |
| 10/8 | 決定　8件　訪問△件　アポ□件　電話・・件 |
| 10/9 | 決定　9件　訪問△件　アポ□件　電話・・件 |

**ゴールからノルマを逆算して予定化**

| | |
|---|---|
| 10/X | 決定 20件　訪問△件　アポ□件　電話・・件 |

**達成、未達成の理由がわからないのでPDCAが回らない**
**（一生懸命頑張るパターン）**

**作戦が練られたプラン**

| 日程 | 計画（予定） |
|---|---|
| 10/1 | 過去参加者で過去3年不参加者一覧作成 |
| 10/2 | 参加しなくなった理由の仮説設定・トーク作成 |
| 10/3 | 過去3年不参加者に10名電話し、理由を集計 |
| 10/4 | 集計結果より、対応策の作成 |
| 10/5 | 過去3年不参加者50名にアプローチ／決定・・名未満ならプランB実施 |
| 10/6 | 50名へのアプローチ結果の振り返りと修正案作成 |
| 10/7 | 過去3年不参加者へアプローチ |
| 10/8 | 最終目標とのギャップ把握 |
| 10/9 | 決定　9件　訪問△件　アポ□件　電話・・件 |

**コツを積み上げて作戦化**
**（3年不参加の理由を解決すれば参加してくれるはず、という仮説）**

| | |
|---|---|
| 10/X | 決定　20件　（内訳：過去参加者からの参加X名、新規参加Y名）<br>不参加理由一覧と今回対応、未対応事項の整理　など |

**コツがわかるので、仮説→実施→検証・修正のサイクルを回しやすい**
**（コツをつかむことで成功確度を上げ、打ち手も磨くパターン）**

# 3.4 「攻略本作り」の3つのコツ

**「行動計画に攻略法を入れ込む」ためには、肝心の攻略法を見出さなくてはなりません。では、どうすれば攻略法を編み出すことができるのか。ここではそのための方法を解説していきましょう。**

## ⊙優秀な人に「普通の人との仕事の押さえどころの違い」を聞く

仕事の攻略法を知るには、優秀な人からコツを教えてもらうのが一番手っ取り早い方法です。その際のコツは、仕事の流れに沿いながら、**「普通の人と違うポイントはどこでしょうか？　一番違うポイントから教えてください」**と聞いていくことです。

例を挙げましょう。ある金融機関にてコンサルティングをした際の話ですが、窓口業務で非常に優秀な成果を上げているAさんという人物がいました。

Aさんの仕事を観察していて、面白いことがありました。高級なスーツをばっちり着込んだ紳士風の50代のビジネスマンが来店した際には即座にお帰りいただいた一方、ヨレヨレの恰好《かっこう》で来店した60代中頃の女性には丁寧に対応し、即座に融資額を割り出し、支店長から決裁をもらってきたのです。

普通は逆でしょう。そこで、「何が違うのですか？」と聞いたところ、「服ではなく、靴を見ている」との答え。Aさんによれば、その人の性格が一番出るのが靴なのだそうです。高価でなくとも丁寧に手入れをされている人は、細やかな気配りができるので信頼できる。逆にスーツは高価でも靴がボロボロな人は見栄っ張りの可能性があり、与信には注意が必要だそうです。

Aさんは他にも、相手の目配りや呼吸、態度などを見て、その人の信頼性を見抜くノウハウを持っていました。それを元にマニュアルを作成し、窓口担当者への研修を行ったところ、その支店の業績は翌月から3倍に上がったのです。

**このように優秀な人の仕事の進め方を細かく聞き出し、普通の人とどう違うのかを割り出す。そして、中でもキーになりそうなアクションに注目し、そこに力を入れていく。それが「攻略法」作りのポイントとなります。**

さらに、優秀な人の一日の時間割・時間配分も合わせて聞き出し、それを元にしたスケジュールを作成するのもいいでしょう。

## ⊙うまくいっていることの裏側を探る

周りに成功している人がいない場合は、いわゆる「成功事例」を参考にするのがいいでしょう。しかし、表面的に真似しただけでは、うまくいかないことがほとんどです。その**成功事例の「裏の中」に何があるのかを探る視点が重要です**。

たとえば、コカ・コーラボトラーズジャパン、日本一自販機を多く設置している会社ですが、いまだにその数を増やし続けています。この事例を表面的に捉えれば、「あらゆるところに自販機を設置し、のどが渇いた消費者のニーズにこたえようとしていることが好調の要因なのかな」と考えるかもしれません。

ここで、さらに裏を探ってみましょう。コカ・コーラボトラーズジャパンは製造から物流まですべての工程を自社で行っています。そうなると、コンビニなどに卸《おろ》すより、自動販売機で直接売ったほうが利益率は高いはず。つまり、「直売」に力を入れていることが成功の要因なのではないか、という仮説が見えてくるわけです。

ある事例を応用し自分のビジネスに取り込むことを「アナロジー」といいます。オフィスの置き菓子ビジネスを立ち上げた「オフィスグリコ」は元々、ロードサイドの無人の野菜販売所をモデルにしたそうで、まさに「アナロジー」の好例でしょう。

## ⊙成功パターンの共通項を見つける

まずはとにかくたくさんの成功パターンの事例を集めましょう。そして、その中から多くの人に共通する項目を見つけていくのです。

たとえば野球において、打者を抑えるコツをピッチャーに聞いて回ったとします。ピッチャーには速球派や技巧派、先発やリリーフなど色々いますから、さまざまなコツが出てくるはずです。ただ、誰もが共通して「打者のタイミングを外すことが重要」と言っていれば、これこそが「共通項」です。あとは、それぞれの投手の持ち味に従って、「速球の後にスローボールを投げてタイミングを外す」「変化球でタイミングを外す」など、どうそれを活かすかを考えていくわけです。

ビジネスも同様に、**多くの成功事例を集め、そこに共通項がないかを探ってみることで、誰でも応用できる「攻略法」が見えてくるはずです。**

Point

**成功者の話は、「他の人との違い」を掘り下げて聞いてみる**

## 3.5 まったくの新規事業でも「攻略本」は作れる

「攻略法を整理して、攻略本としてまとめる」。そのスキルが身につけば、どんなビジネスにも応用できるはず。そしてそれは、今までやったことのない新規事業にも言えることです。

### ⊙整理した上で、自分の持ち味に合うモノを選ぶ

さて、ここまで集めたノウハウを、以下の3つのフォーマットにまとめます。

1　優秀な人がやっていることと、普通の人がやることを、仕事の流れに沿って対比しながら整理していくチャート
2　1カ月、1週間、1日のルーティン（時間割）
3　1、2を踏まえ、作戦化した計画

ここでキーになるのは、**たくさん仕入れたコツの中から、自分の持ち味に合っていて、使いやすそうなものを選ぶ**ことです。

あれもこれもとコツを身につけようとするといくら時間があっても足りませんし、向いていないコツの習得に時間をかけるのも無駄です。自分の持ち味に合っていて、ラクにすぐ活かせるコツから覚えていきましょう。

「素晴らしいノウハウだけれど、どうも自分の仕事と合っていない」という場合は、前項で紹介した「成功パターンを集めて共通項を見つける」を駆使し、自分の仕事に落とし込んでいきましょう。

## ⦿正解がないことでも攻略本が作れるようになる

こうして実績を上げていくと、「若い視点と行動力を武器に、我が社で初めての新規ビジネスを立ち上げる」といった、美味しい役割が回ってくることがあるはずです。30代にはこうした新規事業のチャンスが巡ってくることが比較的多いのです。

## 教科書をマニュアルから攻略本にアップグレードする

普通の人は、通常マニュアル通り。凄い人から、普通の人と違う意図・行動を聞き、仕事の流れに沿って整理することで、その仕事の「攻略本」ができる。

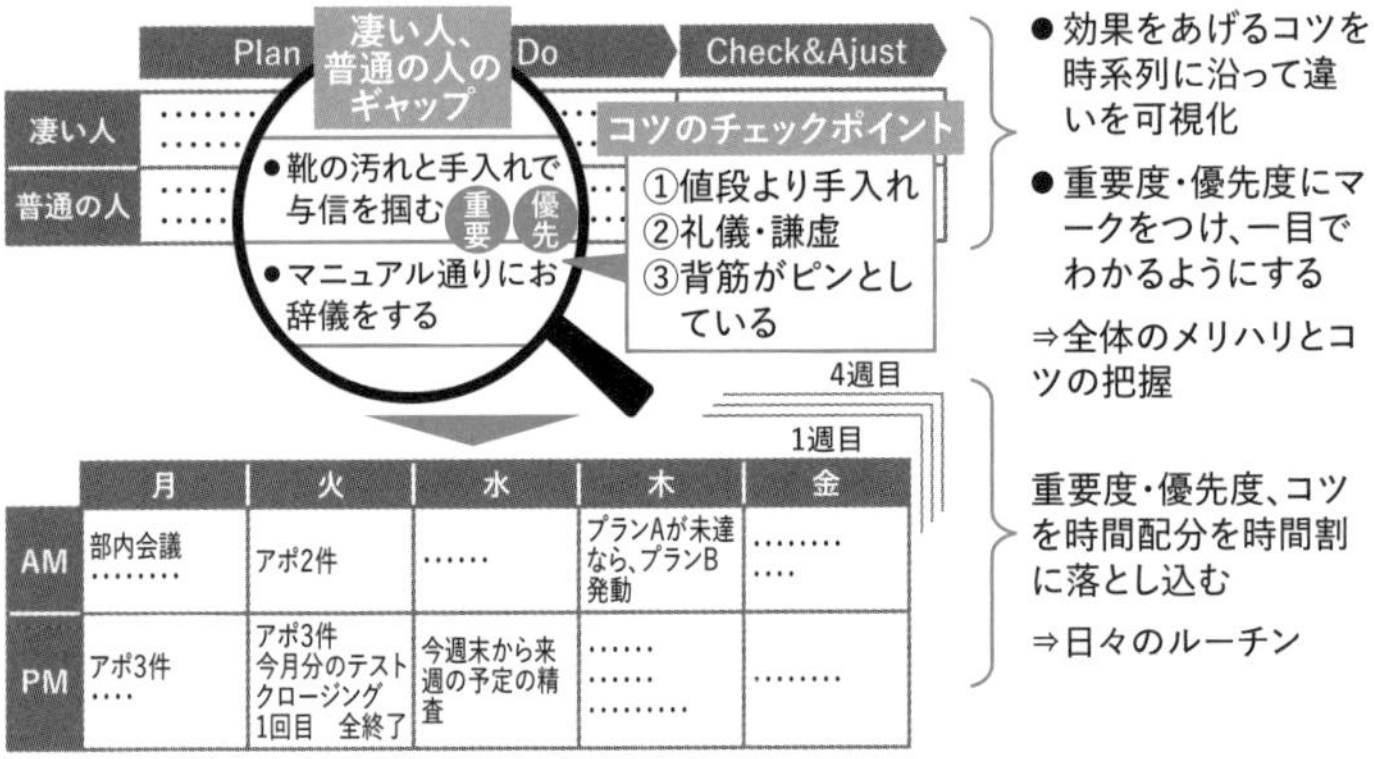


ただ、新規ビジネスでは周りに成功者がいないため、どうやって「攻略本」を作ればいいか、迷う人も多いはずです。しかし、先ほど紹介した「アナロジー」などを駆使することで、必ず方法は見つかるはずです。

一つ事例を挙げましょう。

コロナ禍で外でお酒が飲めなくなったことで、多くの飲食業が苦境に陥りました。中でも、お酒を中心に提供するバーへの影響は甚大なるものがありました。

そんな苦境を乗り切るべく、コース料理とペアリングで楽しめるモクテル（ノンアルコールカクテル）の開発に挑んだのが、世界的に知られるミクソロジーバーを運営する、南雲主于三さんを中心とするバーテンダーです。

世界のどこにも該当するレシピ本がない中、参考にしたのは「食材のペアリング辞典」だったそうです。Ａという食材とＢという食材の相性がいいのなら、同じ成分を持つモクテルなら合うのでは、という仮説検証を繰り返し、ペアリングを完成させていったそうです。実際にそのペアリングコースを試食してみると、お酒でなくともペアリングが成立し、それもおいしくてビックリ。目から鱗が落ちました。

このように攻略本を作り、ＰＤＣＡを回すことができれば、どんな変化が起きても対応し、結果を出せるようになるのです。

Point

## 攻略本を作れるようになると、何が起きても対応できる人材になれる

3.6

# 30代になったら「ソリューション・フォーカス」で考える

**仕事においては「なぜの追求」「原因分析」が必要だとよく言われますが、そればかりに時間を取られるのはっきり言ってムダ。どんなピンチでもサクッと解決するヒーローのようになれる「魔法のひと言」をお教えしましょう。**

## ◉「なぜ?」を追求しても答えが出ない根本的な理由とは?

「なぜ?を5回繰り返す」。有名な「トヨタ式」の問題解決方法です。外資系コンサルティング会社でもまるで呼吸をするように「なぜ」という言葉が使われています。なぜを繰り返すことでその改善策や真因を探っていくというメソッドです。

でも、そもそもの原点に戻って考えてみましょう。あなたは「なぜ?」と聞かれたらどんな気持ちになりますか。

普通は、「責められている」と感じるのではないでしょうか。そして、**「なぜ?」「な**

**ぜ?」と詰められれば詰められるほど、防衛心理が働く**のではないでしょうか。

そうなると、課題解決に向けた思考よりも、いかにその場を逃れるかにクリエイティビティが発揮されてしまいます。「なぜ遅刻したのか」と問われると、いくらでも言い訳が思いつくのと一緒です。

その結果、本質には手をつけず、その場しのぎの施策や根性論に流れてしまうのです。人の脳は、焦点をあてたところにクリエイティビティを発揮するようになっているのです。

## ⦿外資で浴びた「ソリューション・フォーカス」の洗礼

では、どうすればいいのかというと、**「なぜ」ではなく、「どうすれば」を問う**ようにすればいいのです。ある課題に対して、「どうすればできるか?/解決するか?」を問い、打ち手を出していき、その中からスジのよさそうな打ち手を選ぶのです。

このアプローチは「ソリューション・フォーカス」(解決志向)と呼ばれ、全世界で活用されています。解決する方向に焦点をあて、他は気にしないというものです。

実は、私も日系大手の研修会社から外資系大手のコンサルティング会社に移籍した時、このソリューション・フォーカスの洗礼を浴びました。

日系企業にいた時は、月末に売上目標に達しなかった場合、「なぜ達しなかったのか」

を伝えたうえで、「すいませんでした！」と大声で謝れば、なんとかその場を乗り切れました。

しかし、外資系ではそうはいきません。未達の理由や謝罪などどうでもよく、ただひたすら、「松本さん、どうすればリカバリーできますか？」「そのリカバリープランを実行する時の壁は何で、どう乗り越えようと考えていますか？」「リカバリープランを実現させるため、会社や上司としてどう支援して欲しいですか？」と聞かれ続けるのです。

最初はびっくりしましたが、それによって確かにリカバリーだけに意識を集中することができ、アイデアも湧いてくるのです。先ほど申し上げたように、人の脳は、焦点をあてたところにクリエイティビティを発揮するようになっているからです。

## ◉「なぜ」の追及がパワハラになる？

**30代からは「なぜ、できないのか」ではなく「どうすれば解決するか？」というソリューション・フォーカスを使いましょう。**自己防衛に意識を奪われることもなく、最短で解決策にたどり着くことができるからです。当然、モチベーションも上がり、問題解決に臨むことに対してワクワクしてくるはずです。

以下、少々余談になりますが、企業のリストラ対象者が受けるＰＩＰ（Performance

Improvement program）業務改善プログラムというものがあります。実はこのプログラムでは、「ソリューション・フォーカス」のアプローチが取られています。

自分がどのように会社に貢献できるかのリカバリープランを本人に考えてもらい、実践してもらう。会社や上司もフォローします。その結果、成果が上がればリストラ対象から外れることもあります。残念ながら、会社を去ることになっても、「すべきことはやった。」と本人も納得してくれることが多いのです。

**実はこれは、訴訟リスクを避ける意味もあります。**このご時世、「なぜ？」「なぜ？」と詰めるとパワハラだと言われかねません。「どうすれば解決するか？」を最初に問い、健全に目標達成に向けた活動を行うことで、目標達成し、本人もできるようになれば、会社としてもＯＫだからです。

「どうすれば解決するか？」から問う、ソリューション・フォーカスはリストラ候補を生まれ変わらせるくらいのチカラを秘めている武器なのです。

Point

**「なぜ」を追求するより、「どうすればいい？」を追求しよう**

# 3.7

# 「30代は挑戦せよ」と言われても……

「30代はチャレンジの絶好の機会」と言われるけれど、そもそも、何をもって「チャレンジ」になるのでしょうか。仕事の量を増やすことや難しい仕事をやることがチャレンジではないでしょうし……。

## ⊙分解し、目線を変えれば、本質的で意味あるチャレンジがみえてくる

「30代は安全に挑戦するチャンス」だと、1・6でも述べました。実際、30代でのチャレンジは自分の可能性を広げ、経験とスキルを伸ばしてくれるとともに、30代のうちにエピソードとして語れるような実績がないと、40代以降のチャンスや選択肢が激減してしまいます。

とはいえ、「どんなチャレンジをすればいいのか」というと、意外と難しいものです。

チャレンジと「無謀」は違いますし、かといって規模が小さいものでは「そんなものはチャレンジではない」と言われてしまいます。

では、誰もが「チャレンジ」だと認めてくれて、かつ、勝算があるようなものをどうやって見つければいいのでしょうか。そのコツをご説明したいと思います。

## ⦿対象を分け、視点を出し、逆からみて広げる

### ①テーマを「手段」と「難易度」にわける

「困難は分割せよ」は数学者のデカルトの名言です。そこで、まずチャレンジに取り組む「対象（例：給与計算）」を決め、「手段」と「難易度」にわけて考えます。

次に、それぞれ、普通だったらどんなことが考えられるか書き出します。「手段」からやってみましょう。堅実な切り口でもいいので書き出します。

- 改善する
- 難しいことをやる
- 質をあげる
- 範囲を広げる

・納期を短くする　など

あなたがたとえば経理担当者ならば、「経理のミスを改善する」「入金までの時間を短くする」などのチャレンジが考えられることになります。ただ、これだけだと確かに、「業務の延長線上」というイメージはぬぐえません。

## ②切り口に逆からみた視点を加える

・改善する　↕（逆からみると）前例がないことをやる／もしくはやめる
・難しいことをやる　↕（逆からみると）簡単にする
・質をあげる　↕（逆からみると）仕組みで質を担保する
・範囲を広げる　↕（逆からみると）まとめる
・納期を短くする　↕（逆からみると）効率化・外部委託　など

そこで、先ほどの視点を逆からみた切り口で考えると、意味あるチャレンジを見つけやすくなります。

たとえば、改善ではなく「前例がないことをやる」と考えると、「アウトソース会社と合弁会社で業務をアウトソースする」という発想が生まれてくるかもしれません。「やめる」と考えると、「人の手による集計業務をやめて自動化してしまう」という発想が生まれてくるかもしれません。

とはいえ、そもそもの目的は変わらないので、無謀なチャレンジや意味のないチャレンジにはなりません。

「難易度」も同様です。よくある切り口を書き、逆の切り口を加えればいいのです。

・ある程度決まっている ↔ （逆からみると）前例がない など

普段と同じテーマでも、会社にとって前例のないことであればチャレンジに値します。あなたがやったことがなくても、誰かがやったことがあり、それを、あなたがやってみる価値があるのであれば、これもチャレンジに値すると言えるでしょう。

この方法で意味あるチャレンジが見つかる可能性はぐっと高まります。

## 価値あるチャレンジをみつける視点

チャレンジは量をやることや上位グレードの難しい仕事を
やることだけではありません。

**チャレンジの種類（例示）**

**手段**

- 改善する ↔ 前例ないことをやる・やめる
- 難しいことをやる ↔ 簡単にする
- 質をあげる ↔ 仕組みで質を担保する
- 範囲を広げる ↔ まとめる
- 納期を短くする ↔ 効率化・外部委託

⋮

**難易度**

- ある程度決まっている／前例がない
- その上で本人がやったことある／ない

⋮

## チャレンジの切り口の例

目的を「給与計算・勤怠管理のデータを活用し、
生産性向上につなげる」なら、

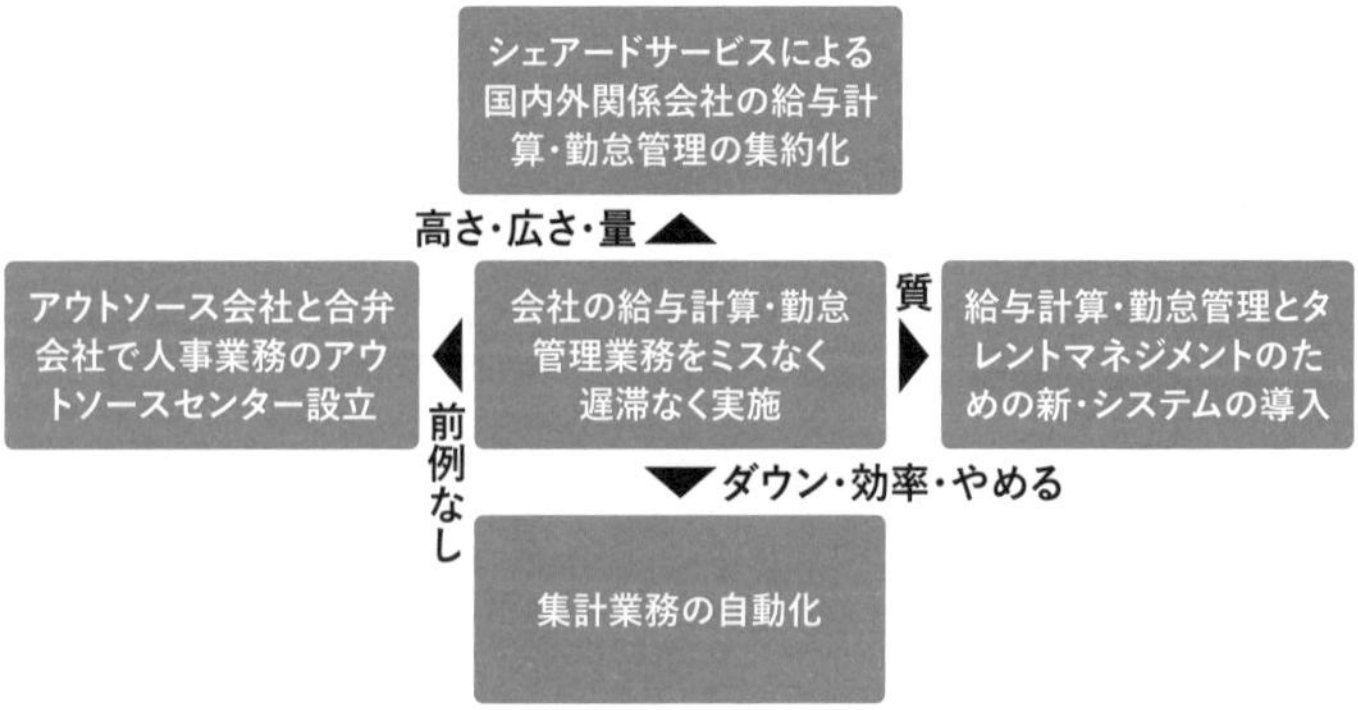

## ⊙提供価値をかえる視点でテーマを見直す

この「逆から見る」という視点からも、なかなか価値あるチャレンジが見つけらないという場合は、以下の方法で「取り組むテーマの提供価値を捉えなおす」ことで、気づかなかった切り口が見つかる時もあります。

### ③「イライラすること、ちょっとした我慢を書き出してみる

昨今のヒット商品の中には、ちょっとしたイライラや我慢していることの解消に焦点をあてることで成功している例が数多くあります。例えば掃除機を例に取れば、

・吸引力が途中で落ちる
・自分で掃除するのが面倒
・排気された空気が埃っぽい

など、これを論点にして商品開発すると、

・吸引力が途中で落ちる　→（吸引力が途中で落ちない）ダイソン
・自分で掃除するのが面倒→（ロボットが自動で掃除する）ルンバ
・排気の空気が埃っぽい　→（独自フィルター）プラズマクラスター

となるわけです。

同様の視点で「何かイライラすること、我慢していることはないか」という視点から、新しいアイディアや切り口を探してみると、意外なものが見つかるかもしれません。

### ④「ありがとう」の声をたくさん洗い出し、組み立てる

「ありがとうの声」こそが、あなたの提供価値だという話を前にしました。「ありがとうの声をもっと高めるにはどうしたらいいのか？」という切り口から、新たなチャレンジのテーマが見つかる可能性もあるはずです。

たとえば、事務の仕事をしている人が

「正確にやってくれてありがとう」
「早くやってくれてありがとう」

「気が利いた対応をありがとう」という感謝の言葉をもらっているとしたら、それをさらに広げるにはどうしたらいいのか、という発想につながります。

その際、「正確×気が利く」など、掛け算してみると、提供価値もレベルアップしていきます。

Point

**チャレンジはテーマをいろんな切り口で捉えなおすとみつかる**

# 3.8

# 反省は無意味!? 正しい「振り返り」の作法

**いわゆる「PDCAサイクル」を回すことで、自分の行動を改善していくというのは、ビジネスの王道です。だが、多くの人は「C」（チェック）のやり方を勘違いしているがために、このサイクルがうまく回せないのです。**

## ⊙普通に「C（チェック）」ではただの反省にしかならない

実際に行動を起こしたら、それを振り返るというプロセスが重要になります。いわゆるPDCAの「C（チェック）」です。

もちろん、**振り返りはとても重要なのですが、世の中の人は「正しい振り返り方」を知らないがために、時間を無駄にしている気がします。**以下、多くのプロが実践している「振り返りの作法」をご紹介しましょう。

まず、ひと言で振り返りと言っても、２つの側面があります。一つは、仕事そのものの側面。今月は目標に対して90％の実績だったといった事実や現実です。これは、誰が見ても解釈や判断にブレが生じることはあまりありません。

もう一つは、自分の内面の振り返りです。「内省」とも言われています。目標が達成できなかったことに対して、なぜできなかったのか、あの時どうしてあの行動をしなかったのかなど、自分の考えや言動を振り返り、自分と向き合うことで、その原因に気づき、改善するというものです。

**しかし、ここに落とし穴があります。**内省には、数字と違って客観的なものさしがないだけに、「なぜ、私はそのような行動をとってしまったのか？」といつまでも自分を責めたりし、言い訳や反省ばかりで終わってしまうのです。

サッカーを例に考えてみましょう。自分のミスで失点してしまったゴールキーパーがひたすら、「前半のあの時なぜキャッチにいかずにパンチングしてしまったのだろう。結果、相手の目の前にボールが落ちてしまい、点を取られてしまった。なぜ、こんな軽率な行動を取ってしまったんだ……」

こんなことをひたすら考えていたところで、ただ落ち込むだけです。そのまま後半の試合に臨んだところで、いい結果にはならないでしょう。そしてその試合も負けたとしたら、「ああ、自分はなんてダメなんだ……」とさらに悪循環に陥ります。

職場でも同じように、失敗をいつまでも引きずる人がいるのではないでしょうか。その人が悪いワケではなく、ただ、「内省」の作法を知らないだけなのです。

ちなみに**プロのサッカー選手の間では、こういう時に「修正」という言葉を使います。**反省するのではなく、修正点のチェックリストをもとに、どこをどう改善するかを考える。だからすぐに切り替えることもできるのです。

そう、前にも紹介した「ソリューション・フォーカス」（解決志向）です。

## ⊙5W2Hで振り返ることで問題個所が可視化される

先ほど、サッカーのプロは「チェックリスト」を使って修正を行うという話をしました。同様にビジネスでも、「修正のためのチェックリスト」を持っておくと効果的です。

ビジネスの修正のためのチェックリストは、以下の5W2Hで作るといいでしょう。

①どんな時に時間がかかるか？　想定外が起こるか？（When）
②どのシチュエーションのトラブルが起きるか？（Where）
③誰と仕事をしているとトラブルが発生しやすいか？（Who）
④何をしている時にトラブルが発生しやすいか？？（What）

⑤どの打ち手がまずかったのか？うまくいきにくいのか？（How）
⑥どれだけの量をやった時にペースが狂うのか？（How much）
⑦なぜ、それがダメだったのか？（Why）

こうした論点をもとに振り返ると、「あの局面でいつもエラーが起きるな」「A部長は最後の最後にダメ出しをすることが多いな」など、共通パターンが見えてきます。

この共通パターンがこそが、本質的な問題個所です。問題個所がわかれば、打ち手はおのずと見えてくるはず。いたずらに落ち込んだり、誰かを責めたりする不毛な時間やストレスがなくなり、パッと前向きに切り替えて改善をすることができるはずです。

ちなみに3・6で述べたように、いきなり「なぜ？」を問うと、人は自己防衛本能が働いてしまうもの。まずは、①〜⑥の質問で問題個所をある程度特定してから、「なぜ？」の問いに入るのがいいでしょう。

Point

**反省ではなく「チェック」する。**
**だからこそ、次に何をすべきかが見えてくる**

# 第4章

# 「最短で成果を上げる仕事」にこだわろう

# 4.1

# 30代では「向いていて成果も出ること」だけをやる

「緊急度」と「重要度」で仕事を整理し、ToDoリストに落とし込んでサクサク仕事を進めましょう。でも、実際にやってみるとなぜかうまくいかない人は多いはず。その理由とはいったい？

## ⦿ 30代には仕事を断る権限などない！

時間術の教科書にはよく、「緊急度」と「重要度」のマトリクスで仕事を整理するというノウハウが掲載されています。まずは「緊急度が高く」「重要度も高い」仕事を行い、その後、「緊急度が低く」「重要度が高い」仕事を行う時間を確保することが要諦と書かれています。

確かに、重要度は高くても緊急度が低い仕事の中には、本当にやりたい仕事や未来への投資となる仕事が隠れているものです。そうした仕事を先送りしないよう、重要だけれど緊急ではない仕事の時間を確保すべきというのは、誰もが納得するでしょう。

しかし、ここで残念なお知らせがあります。30代のビジネスパーソンにとって、**「緊急度」と「重要度」で優先順位を決める時間術は、理想ではあっても現実的ではない**のです。

実際の仕事では常に「重要度」より、「緊急度」が優先されがちです。しかも強い権限を持たない30代は、緊急度は相手の都合で決まる場合が大半です。上司から「この仕事を急いでやって」とか、営業先から「見積もりの修正を今日中にください」と言われたら、今すぐその仕事に手をつけざるを得ません。しかも、そうした仕事を早めに片付けて時間を確保したところで、「仕事の報酬は仕事」とばかりに他の人の仕事まで舞い込んでくる。あなたにも経験があるのではないでしょうか。

つまり、「緊急度」と「重要度」を決める権限が自分にない30代にとって、この時間術はほぼ、機能しないのです。

## ⦿仕事では「おいしいものは最初に食べる」が鉄則

「緊急度」と「重要度」が通用しない以上、仕事を絞り込む軸を変える必要があります。

具体的には、**「向いている」ことと「成果につながる」ことの2軸で整理**するのです。

「向いている」こととは、自分の持ち味と言い替えてもいいでしょう。意識しなくても人より速くラクにできることです。「書類作りが早い」「顧客との関係作りが得意」など、どんなものでも結構です。

「成果につながる」こととは、仕事として評価され、結果を出せることです。いくら新規開拓が得意な人でも、会社が「既存顧客を重視する」という方針ならば、既存顧客のリピート率を上げるほうが「成果につながり評価される」仕事になります。

まずは、この2つの軸を元に、自分の仕事を整理してみましょう。

整理が終わったら優先順位をつけていくわけですが、一番に優先すべきは言うまでもなく「向いている」ことで「成果につながる」ことです。新規開拓が得意で、会社も新規開拓を求めているならば、それを優先すべき。まさに一番おいしい仕事です。

しかし、人は往々にして、こうしたおいしい仕事を後回しにして、苦手な仕事や成果につながらない仕事に時間をかけがちです。食事なら、大好きなおかずを最後にとっておく派でもかまいませんが、仕事では次から次へとおいしくない仕事が緊急の名目で入ってきて、おいしいものがいつまでたっても食べられなくなるのです。

## 仕事は「向いている」×「成果が出る」で絞るのが正解

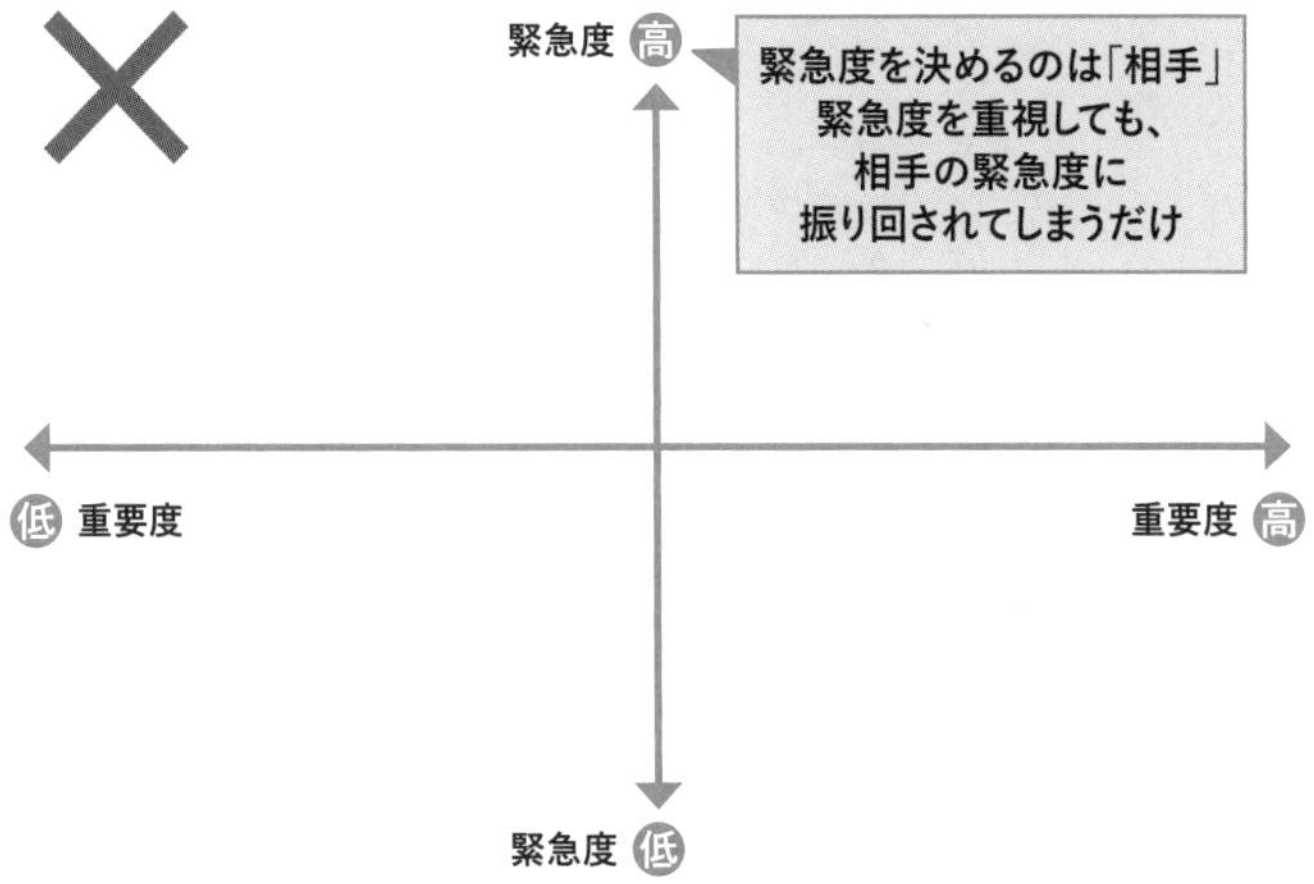


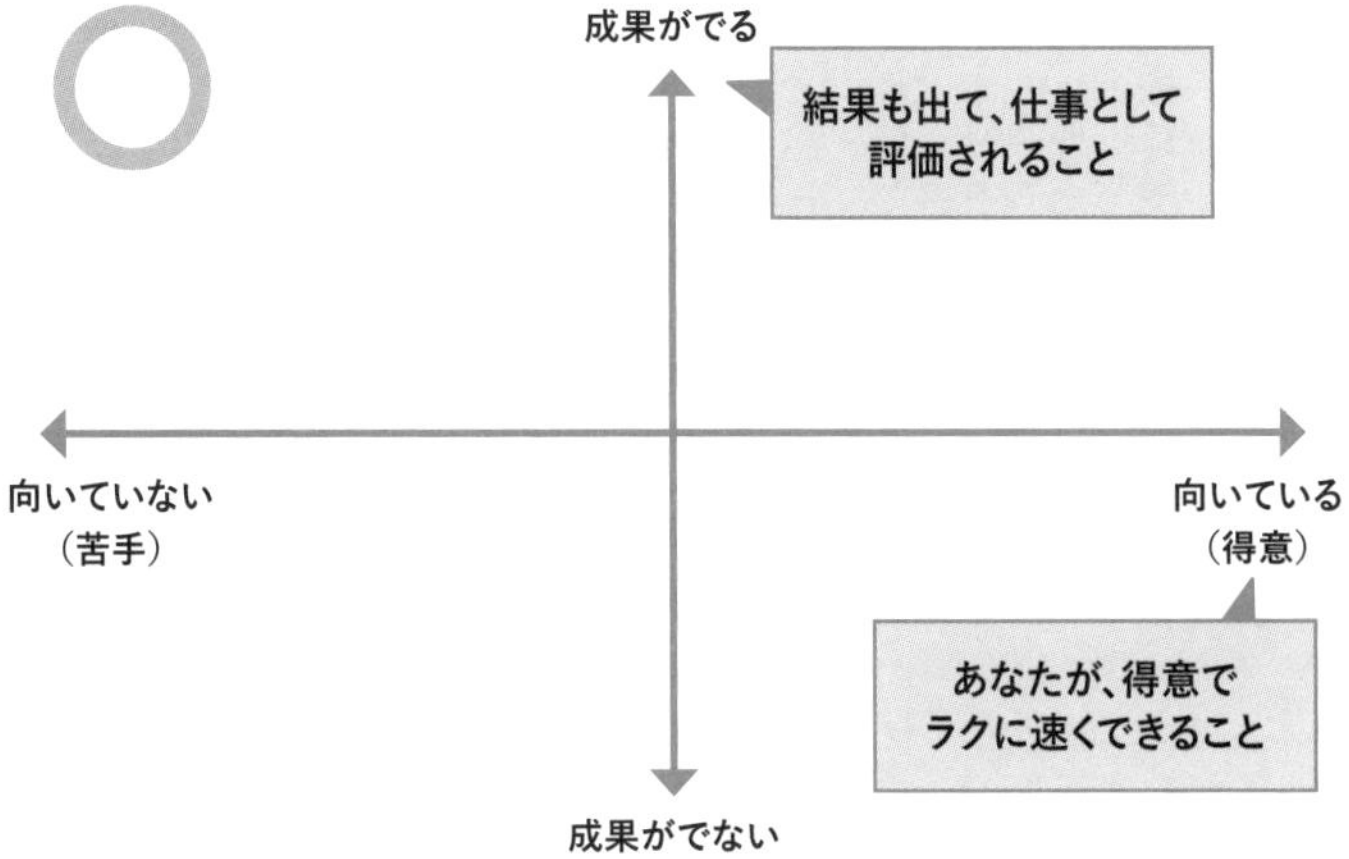

向いている仕事＝得意な仕事はスイスイと楽しみながら成果を出せます。**仕事は一番速く成果を出せる人にお願いしたくなるのが心情です。**結果、自然とこうした仕事があなたの下に集まってきて、評価も評判もあがる好循環、無敵モードになります。

この状態に持っていくことができれば、あなたの都合で緊急度と重要度を決められるようにもなるでしょう。

ちなみに、この「無敵モード」になるためには、自分に向いていない仕事を適任者につなぐというスキルも必要となります（これについては次の項以降にて解説します）。

## ⦿成果が出ないが向いている仕事は「修行」と心得よ

とはいえ、「向いている」「成果が出る」仕事ばかりをやり続けるのも考えものです。その仕事がいずれＡＩやテクノロジーに代替されてしまったり、自分以上にその仕事が得意な後輩やライバルが現れないとも限らないからです。そもそも、いくらおいしい仕事でも、同じ仕事ばかりしていたら飽きてきて、惰性になってしまいます。

そこで大事になるのが、**「向いている」けれど「成果につながらない」こと。**これはまさに「未来への投資」です。

成果がすぐには出ないため、この時間は楽しいものではないかもしれません。しかし、新しいスキルを習得し、経験の幅を広げ、未来の選択肢を増やすためには不可欠な時間です。ご安心ください。向いていることはスキルアップが速いのです。勇気を出して、「成果が出ないけど、向いている」ことに当てる時間を確保しましょう。

空気が薄くなり重力が増し、それだけに修行の成果が高まる『ドラゴンボール』の「精神と時の部屋」に入ったと思って、修行にいそしみましょう。

目安としては仕事の時間の10％を、この投資の時間に当てたいところです。労働時間の20％を自分のプロジェクトに当てるという、グーグルの「20％ルール」は有名ですが、さすがに一般の企業では難しいかもしれません。外資系大手企業の多くでは、予算や時間のうち5～10％以上を将来の投資のために使っていることが多いことを考えると、10％くらいがちょうどいいのではないかと想定されます。

Point

**30代では「向いていること」「成果が出ること」に仕事をシフトしよう**

4.2

# 得意な仕事こそ「みんなのため」に手放そう

**いくら自分に向いていて、かつ成果につながる仕事でも、それを抱え込んでいてはそれ以上の成功はありません。「おいしい仕事」をあえて手放せるかが、30代で成長できるかのカギを握ります。**

## ⦿「君のため」はウソくさいが、「みんなのため」なら響く

「30代になったら仕事を抱え込まず、誰かに任せることが大事」。これもまた、非常によく言われていることです。しかし、言うのは簡単ですが、やろうとすると難しいもの。「下手に任せるより自分でやったほうが速い」という理由の他、「相手にやりたくない仕事を押しつけてきたと思われたくない」など、日本人特有の仕事に対する責任感や嫌われたくない心理も影響しているのでしょう。

発想を変えましょう。自分のために、誰かに仕事を押しつけるのではない。得意な人

が得意な仕事に集中できるように、チーム全体で仕事を再配分する。つまり、**「みんなのため」に仕事を振る**と考えるのです。

誰かにとっては苦手なことでも、逆にそれが得意な人もいるはず。得意な人に得意なことをやってもらえば、本人も成果を出せるし、モチベーションも上がります。本人の評価にもつながり、チームの生産性も上がります。まさにいいことづくめです。なのに、仕事を一人で抱え込むことはむしろ罪です。遠慮なく、得意な人に振りましょう。

**ここで大事なのは「振り方」です。**丸投げや無茶ぶりがNGなのは当然ですが、「あなたの成長のために」と恩着せがましく言ったところで、たとえそれが本心だったとしても相手はそうは捉えてくれません。裏があると思われるのが普通です。

必要なのは「正義」「大義名分」です。ここでも「みんなのため」と伝えるのです。

「みんなが早く帰れるように、段取りや分担を見直そう」

「みんなの生産性を上げるために、得意な仕事は得意な人がやるようにしよう」

**日本人は、「みんなのため」という正義に弱い**のです。この言葉を使うと、とたんに反対しにくくなります。

## ◉「分身」を働かせるという発想を

さて、前項で「向いていて成果につながることに仕事を絞り込む」と申し上げましたが、さらに絞り込みましょう。あなたの手元に残すのは、自分に向いていて得意なことの中でも、「速くなった」「新しくなった」「量が増えた」「質があがった」「停滞から抜けだせた」といった、今までにない価値を生み出すことだけにするのです。

そして、苦手な仕事は当然ですが、前記に当てはまらない得意な仕事もどんどん振ってしまいましょう。コピー、プリントアウト、エクセル集計などの作業はもちろん、企画立案や交渉、アフターフォローなどのコアな業務も振ってしまいましょう。いわば、あなたの代わりにやってくれる「分身」のような存在をどんどん作っていくイメージです。

## ◉仕事を「なくす」ゲームと割り切る

ここで戦わなくてはいけないのが、「自分でやったほうが速いし、成果も出る」という、自分の中に住んでいる敵です。

その正体は**「得意なことを他人に取られることへの恐怖」**です。得意で成果が出るおいしい仕事は、自分の自信の根源に直結します。ゆえに、他人に渡したくないという恐怖心が芽生えるのです。

その恐れを振り切るには、コツがあります。それは、自分の担当している仕事を「面をクリアしていくゲーム」だと考えるのです。ある仕事を「クリア」したら、今度は次の面に進むという意識で仕事を進めていくのです。

一度クリアした面については、その攻略のノウハウが溜まっているはずです。それをまとめておけば、別の担当者が引き継ぐことができます。一つの面（仕事）をクリアしたら、そのノウハウやコツを、他人でも使えるように資料やフォーマット、ツールに落とし込んでおく。こうしておけばもう、あなたでなく他の人でも大丈夫です。

そして、こうした仕事を繰り返していくと、「あの人の仕事を引き継げば、ノウハウが学べる」と評判となり、仕事を引き継ぐ側も積極的に引き受けてくれるようになるはずです。これもまた「みんなのため」になるのです。

Point

## 仕事を振る時は「みんなのため」と伝えよう

# 4.3 振られた仕事はとりあえず「全受け」で

上からも下からも、あらゆるところから仕事が舞い込んでくるのが30代。どうしても取捨選択したくなるところですが、ここであえて「全部受ける」ことが、キャリアの面でプラスになる可能性も……。

## ⦿嫌われる勇気を持てても、嫌わないで欲しいが本音

「ちょっとこれやってくれないか、急ぎで」

いくら仕事を絞り込んでも、まだまだ立場が強くない30代のうちは、あなたの仕事の段取りや進捗にお構いなしに、上司、他部署、お客様、部下・後輩からの仕事がどんどん舞い込んでくるものです。

しかも、なぜか忙しい時に限って重要な仕事の依頼が重なるもの。なぜなら、「仕事は忙しい人にお願いしたほうが速くて的確」だからです。

もちろん、「ノー」と断ればラクですが、そんな勇気はなかなか持てないものです。しかも、どんな断り方をしても必ず人間関係のしこりは残ります。仕事において、誰かに嫌われることは損しかありません。

では、どうすればいいのか。**30代のうちは、依頼された仕事は全受けしましょう。**「そんなことをしたらパンクしてしまうだろう」と反論が噴出しそうですが、私が言いたいのは、**「とりあえず受ける姿勢を見せる」ということです。**本当に受けるかどうかは別問題。でも、「とりあえず受ける」ことで、相手の心証は大きく変わってくるのです。

相手が仕事を依頼しにきている時の思いは2つです。「この仕事を期日までに仕上げてほしい」というのはもちろんですが、「依頼しにきた自分の事情をわかって欲しい」という思いもそこには含まれています。

ここで、いきなりＮＯを突き付けてしまうと、相手は存在を否定されたように感じてしまうのです。人は存在を認めてくれないことを一番嫌います。感情的になってしこりが残るか、立場を利用したゴリ押しにより受けざるを得なくなるか、どちらかでしょう。

だから、とりあえず「わかりました」と最初に言うのが正解。受ける／受けないの前**に、依頼しにきたことを「わかりました」と認めることで、相手の心は落ち着きます。**

そのうえで、「交渉」に入れば、もし断ることになったとしても、これだけで感情的なもつれはかなり解消されます。俗にいう「YES　BUT法」です。

## ⦿ポイントは「こちらが主導権を握る」こと

まずは「わかりました。締め切りはいつですか？」と聞くのがスムーズでしょう。普通は最初に内容を聞くべきだと思われそうですが、どんな内容だろうと自分の仕事がパンパンにつまっていたら、受けられるはずがありません。

締め切りと、それに付随して依頼内容が示されたら、以下のように交渉を進めていきます。

### ①いつならできるかを伝える

「今すぐ」と言われても、実はそこまで緊急ではないこともしばしばあります。そこで、「今の仕事の次に着手すれば、午後5時にはできますが、間に合いますか？」というように自分の仕事の状況と、いつ頃ならできるかを一緒に伝えてみましょう。実はそれでも十分間に合うことも多いものですし、本当に今すぐだったとしても「受けようという誠意を見せた」ことになります。

「いつまでにやるのですか？」と聞くのではなく、**先にこちらが時間を提示することで、主導権を握るのがコツです**。

### ②保留の際は「いつまでに返事をするか」を伝える

他部署からの依頼など、自分だけではすぐに判断がつかないような案件もあるでしょう。その際、「予定を確認して折り返します」だけでは不十分です。いつ返事がくるかわからないような状態は、相手にとって大きなストレスになるからです。特に受けてもらえるか不安な時は、一分一秒が長く感じるものです。そんな状態で断りの連絡を入れると、感情的に大きなしこりが生まれかねません。

「何時までに返事をする」か、その一言を伝えるだけで相手は安心します。

### ③他の人を紹介し、自ら一声かける

依頼主が上司の場合は難しいですが、他部署あるいは社外の人の場合、代わりにでき

る人を紹介するのも有効な手です。紹介するのは部下や同僚、あるいは取引先などが考えられるでしょう。

ただ、その際「斎藤さんがいいと思います」というように名前を伝えるだけでは不十分です。相手はたらいまわしにされたというネガティブな印象を持つからです。

そこで、「今ちょっと聞いてみますね」と電話をしたり、「私からも彼にメールを入れておきますね」といった**「つなぎのひと手間」をかけると、あなたの心証はぐっと良くなります**。結果的に断ることになっても、あなたには「よくしてもらった」という印象だけが残るでしょう。

### ④優先度を確認する

それでもやはり、断れない状況に陥ったらどうするか。特に相手が上司の場合は、結局は受けざるを得ない、ということが多いものです。

その際、大事なのが「逆提案」です。**どうすれば依頼者の仕事が速く進むかを考えて「こちらから進め方を提案する」**のです。

「この仕事を最優先で着手する代わりに、A社の資料を13時にレビューしていただくという予定を後ろ倒しさせてください。本日中に仕上げますので、明日朝イチでご確認お願いします」

「今かなり仕事を抱えているので、たたき台までやりますので、最終化はお願いできませんか？」というように、お互いにとっての落としどころとなる提案をするのです。

上司も鬼ではありません。ある程度の譲歩はしてくれるはずですし、無理なら無理だということで、角を立てずに断ることができるでしょう。**なぜならこの場合、こちらが上司の頼みを断ったのではなく、上司がこちらの提案を断った、ということになるから**です。

Point

**断るのではなく、どうすれば依頼者の仕事が速く進むかを考えよう**

4.4

# 仕事の最初の10分は、「これ」しかやらない

**仕事に勢いをつけるには、実は「順番」が大事。しかも、仕事開始の10分間で何をやるかで、その日一日の生産性が違ってしまうとしたら……。**

## ⊙相手がある仕事から進めるとみんなの生産性があがる

仕事の効率は「スタートの10分で何をやるか」で決まると言っても過言ではありません。**最初の10分がスムーズに進めば、気分が乗り、リズムが出てきてラクに速く仕事が進んでいく**からです。大きな石ほど摩擦係数が高く動かしにくいものですが、少しでも動き出せばむしろ一気に転がっていくのと同じです。

では、最初の10分で何をやればいいかというと、「**相手がいる仕事**」から着手するのがコツになります。

具体的には、見積もり、資料、書類提出など提出が求められている事務作業、上司への報連相や決裁のお願いなどの依頼事項、またリーダーであれば、メンバーからの相談や決裁などの業務といったものです。

なぜかと言えば、これらの仕事はあなたが動かない限り、作業が進まないからです。10分で終わるような仕事も、あなたが半日放置し、それをまた担当者が半日放置すれば、1日がかりになってしまいます。

しかも、こうした仕事を放置して締め切りが近くなると、矢のような催促が来ます。こうした割り込みが入ると集中力が大きくそがれ、仕事のペースも乱れ、効率もがくんと落ちます。

だからこそ、最初の10分で「相手のいる仕事」を一気に片付けて、**途中で邪魔が入る懸念を一気に排除してしまう**わけです。そして、あとはじっくりと自分一人でできる仕事に集中するのです。

これはもちろん、仕事相手にとっても大歓迎です。あなたの評判も高まっていくことでしょう。

## ⦿できる人のメールは常に「1行」

ここでは、その際の「メールのコツ」もお伝えしておきましょう。それは、「メールは短文で済ます」ということです。

社外はともかく、社内のメールについても「○○様」から始まって「お疲れ様です」といった定型文を入れ、最後は「どうぞよろしくお願いいたします」で締める、といった文章を書いている人はまだまだ多いものです。

しかし、私がこれまで接してきた7000名以上の次世代リーダーの多くに共通していたのは、**「社内での承認、確認事項は1行で返信する」**ということだったのです。例えば、何らかの提案や許諾に対しては「承知しました」「そのまま進めましょう」など、ひと言で返信するのです。これならメールの処理は一瞬で終わります。

また、返信に時間がかかりそうな案件については「拝読して明日の10時までには返信しますね」「17時までに課長に確認してご返事しますね」などと、「いつまでに返信します」という目安も添えておくのがコツです。相手も安心しますし、「返事はまだですか？」という催促に煩《わずら》わされることもありません。

最近はチャットを使う企業も増えており、その場合は自然と連絡は短文になっていくようです。ただ、いまだにメールが中心の企業では、ぜひ心掛けてほしいと思います。

「自分は用件しかメールには書かないから、よろしく」と事前に根回ししておくというのも効果的です。

Point

## 相手のある仕事から着手することで「横やり」を防ごう

# 4.5 締め切りは「宣言」してこそ意味がある

いくら早く仕事を終わらせようとしても、なぜかいつもギリギリになってしまいます。そういえば、夏休みの宿題もいつもギリギリでした。この悪しき習慣から逃れる方法はないものでしょうか……。

## ◉「締め切り間際のクソ力」は侮れない。だが……

**「仕事の量は、完成のために与えられた時間をすべて満たすまで膨張する」**

これは、イギリスの歴史・政治学者であるパーキンソンが発表した「パーキンソンの第一法則」と呼ばれるものです。

要は「人は与えられた時間をすべて使おうとする」ということです。15分で終わる会議も、1時間会議室を予約していれば、1時間まるまる議論してしまうというわけです。

逆に言えば、「締め切りを決めれば、それに合わせて仕事をする」習性が人にあるということでもあります。これを「締め切り効果」と呼びます。

「夏休みの宿題、残り3日間でまだ半分しかやっていない……」

「報告会、3時間後なのに、致命的ミスの発見でやり直し……」

そんな状況において集中力が一気に上がり、火事場のクソ力が発揮され、何とかなったという状況、誰しも経験があるのではないでしょうか。私にも大いに心当たりがあります。精神的によくありませんが、達成感はものすごくあるものです。

これは悪い例でしたが、期限を決めることで行動力を最大化することで、仕事の効率が上がることは紛《まぎ》れもない事実です。

## ◉締め切りは「宣言」してこそ効果を発揮する

しかし、そんなことは言われなくてもわかっていることでしょう。そもそも人間は意思の弱い動物であり、自分の中で期限を決めただけですべてがうまくいく、なんてことはあり得ないのです。

ダイエットがそのいい例です。「8月までにウエスト、マイナス8㎝」と期限を切っただけでそれが達成できるのなら、世の中からメタボな人はとっくにいなくなっているでしょう。

**「締め切りを設定する」以上に重要なコツは、それを「宣言」することなのです。**家族、職場、ＳＮＳなんでも結構です。宣言した瞬間に「Will（こうなったらいいな）」から「Must（必達する）」に生まれ変わります。

私は酵素ドリンクによるファスティング（断食）を定期的にするようにしているのですが、以前は途中でしばしば挫折していました。そこで最近では、ＳＮＳで宣言することで、引っ込みがつかないようにしています。おかげで最近はなんとかやり遂げることができています。

## ◉宣言すると、味方や支援者も増える

締切りを決め、宣言するというこの方法は、特に作業的な仕事において効果を発揮します。手順や手続きが決まっている仕事や、頭の中にすでに完成予想図があるような仕事は、あとはどれだけ集中してアウトプットするかにかかっているからです。

こうした**小さな仕事やタスクについては、他の人も見ることができるスケジューラーに書き込むのが有効**です。実際に誰かが見るかどうかは別にして、自分にプレッシャーを与えることになります。

一方、もっと大きなテーマ、例えば何かのプロジェクトを始めるとか、新しい仕事の

分野にチャレンジするといったテーマについては、関係者が集まる会議の場や、メンバーへの一斉メールで宣言してしまうのが効果的です。

もちろん、大々的に宣言しておいて、実際にやらなかったり途中で挫折したりすれば、あなたは嘘つき呼ばわりされ、信頼も地に落ちます。でも、だからこそ頑張ろうという気になるのです。どうしたらうまくいくかとゴールから逆算し、達成するための具体的な打ち手を考え、ＰＤＣＡを回し、何とか達成しようと頑張り切れるのです。

とはいえ、周りの目はあなたのプレッシャーになるだけではありません。宣言することで、「私のこの資料のフォーマットを使うと早いと思うよ」と具体的なサポートをしてくれる人や、「いつも頑張っているね」などと応援してくれる人が現れるのです。これもまた、宣言することのメリットと言えるでしょう。

Point

## 宣言するプレッシャーより受け取るメリットの多さに目を向ける

## 4.6

# なぜか「すごい仕事」が舞い込む人の条件とは？

**30代で成果を出せるかは「どんな仕事を手がけるか」によっても大きく異なってきます。実績を上げている人のほうがいい仕事が舞い込みやすいのは事実だが、実際にはそれだけではない要素もあるのです。**

### ⊙くれくれ君と任せてみたい人の違いとは？

仕事の主導権を完全に握れるわけではない30代にとって、「どのような仕事にアサイン（任命）されるか」は、非常に大きな問題です。

自分がぜひやってみたい、しかもスケールの大きな仕事にアサインされれば、それだけ大きな実績を上げるチャンスも巡ってきます。一方、あまり将来性のないプロジェクトにアサインされてしまっては、貴重な30代を無駄に過ごしてしまうことになるかもしれません。

「大きな仕事にアサインされる人材」になるための王道はもちろん、「№1と呼ばれるような実績を上げる」ことでしょう。しかし、当然のことながら№1は一人しかおらず、しかも、こういう人材は常に多忙で、新たなプロジェクトにはなかなか参画できないことも多いものです。

すると、次に候補となるのは、**「あいつに任せてみたい」「あいつならやれるはず」といった可能性を感じられる人**です。「未経験だけど、可能性を感じる」「もし何かあってもサポートすれば大丈夫だろう」「あいつを成長させたい」……そんなふうに思ってもらえる人材にこそ、チャンスが舞い込みます。まさに「未来の信頼」でチャンスをつかむのです。

## ◉「過去」「現在」「未来」を3点セットで語れ

そのために大事なのはなんといっても「意欲」です。「まだまだ仕事やれます」「大きな仕事も任せてください」というポジティブな意欲とオーラに、人は可能性を感じるのです。

しかし、それだけではいわゆる「くれくれちゃん」になってしまいます。本当に仕事を得るには、意欲に加えて「安心感」があることもまた、重要です。

安心感を醸し出すにはポイントがあります。「過去・現在・未来」を語れるようにしておくことです。具体的には、以下のようになります。

・過去：どんな役割と実績を出してきたか（実績・得意分野）
・現在：今どんな仕事をしているか（現状の役割と空き状況）
・未来：過去、現在を踏まえてどんなことを具体的にしていきたいか（意志・意欲）

一つ、例をあげましょう。

過去：これまで広告代理店A社で販促、B社でマーケティングをしてきました。そこで培った自分の強い分野は女性向け商品のリサーチとプロモーションです。
現在：30代女性向けの自然化粧品のプロデュースのリーダーをしてきました。
未来：長年の趣味であるヨガや筋トレを活かし、30代の女性が心と身体を輝かせ、自分らしいライフスタイルを送れる提案をしていきたい。

こうした話を、求められればスラスラと語ることができるよう、常に準備しておくのです。

さらに大切なのは、普段から周りの人に話しておくことです。そうした話が巡り巡って、**「あの人はこんな分野に強いらしい」「こういう仕事がしたいらしい」というウワサになって、責任者に伝わる**ことになるからです。

ここで間違えてはいけないのが、過去だけを語ろうとしないこと。過去だけでは、「自慢話」になってしまいます。聞く人も辟易《へきえき》するだけで、良い評判が広まることも決してありません。

そうではなく、「現在と未来」もセットで語るのがポイントです。

現在とは、「仕事を受けられる余力」であり、未来とは「やりたい」という意欲です。

過去だけでは「自慢話」になり、未来だけだと「くれくれちゃん」になってしまいます。

あくまですべてセットで語ることが重要です。

そこで語られる過去↓現在↓未来の話に一貫性があれば、「あの人、こういう仕事をやりたいらしいよ」というウワサになりやすく、「あの人に仕事を任せてみようか」という安心感にもつながります。結果、チャンスの順番が回ってきやすくなるのです。

## ◉実績だけでなく評判にも一貫性を持たせる

近年は若返りを図る意味で、30代の社員の「突然の大抜擢」が行われる企業も増えています。しかし、周りには突然の大抜擢に見えても、実際には会社は慎重に裏を取ったうえでその決断を下しているものです。

具体的には、その人の評判が本当にウワサ通りのものなのか、言っていることとやっていることの一貫性が取れているのかなどを、当事者の周りにいる人から慎重にリサーチをしているのです。

だからこそ、**「余計な敵は作らない」ことを意識してほしい**のです。

30代は特に危険な時期です。実力がぐんぐん伸びて大きな仕事も任されるようになってくると、ついつい「俺ってスゲー」となり、謙虚さを失ってしまいがちだからです。あなたが大活躍していることが事実だとしても、それを自慢したり、横柄な態度をとったりするようでは、周りはいい印象を抱きません。逆に嫉妬されて足を引っ張られかねません。

せっかくあなたの名前が候補に挙がっても、誰かから「確かにあいつは実績を出していますが、他の人の手柄を取り上げたり、調子にのった態度を取っていたりして、評判は悪いです」などと言われたらおしまいです。

そうならないためには、やはり「一貫性」が重要になります。**評判と実際の行動が一致しているか。言っていることとやっていることが一致しているか。そのことを自分でも常にチェックするようにしてください。**

もう一つ、忘れてはならないのが「謙虚さ」です。仕事は一人で完結することはありません。必ず誰かの力を借りています。そのことへの感謝を忘れず、実際に「ありがとうございます。○○さんのお陰です」と感謝を言葉にすることで、自然と謙虚な気持ちが湧いてくるはずです。

**人は「事実」だけでなく「評判」を見る。**そのことを忘れないようにしてください。

Point

**過去・現在・未来を一貫させることで、「信頼感」を得よう**

# 第5章

# ストレスゼロの「対人関係術」

5.1

# 「キャラ」だと割り切ると、人間関係はラクになる

**誰にでもいるであろう「どうしても苦手な人」。しかし、苦手な人を避けていては、「ラクして速く成果を出す」のは不可能。そのための処方箋を教えます。**

## ⦿ややこしいのは半径5m以内の人間関係

20代と30代の人間関係で大きく違うのが「相性の悪い人との付き合い方」です。人間関係をえり好みしてもなんとかなった20代と違い、30代では利害が対立する相手や、相性の悪い苦手な人も動かさなくてはいけなくなります。

では、そもそも「相性の良さ」とは何によって決まるのでしょうか。実は、**相性の良い人とは「あなたと共通点が多い人」**です。同じ学校、血液型、趣味、出身地などの属性面はもちろん、「モノの見方・考え方・価値観」といった、大事にしている「判断基準」が同じ人です。ひと言でいうと「キャラ」の特徴が似ている人に対して親近感を覚

えるのです。要は「類は友を呼ぶ」。社会心理学でいうところの「類似性の法則」です。

**言葉を交わすたびに、「なぜ、そんなこと言うのかな?」とイラっとしたり不快になる人がいると思います。その人とはつまり、「モノの見方・考え方・価値観」に違いがあるのです。**

こうしたキャラクターは20歳前半までにおおむね形成され、以降、経験などで学んだものによって作り上げられていきます。営業出身者が「売上が大事」と言うのに対して、製造畑のベテランが「コストと品質が大事」だと主張して対立するのは、まさにこの経験による差です。

もっとも、こうした部門や立場を超えた合意形成であれば、理屈で考えて対処する方法があります（第6章で解説します）。我慢ならないのはむしろ、半径５ｍ以内の人間関係でしょう。日常の会議、会話、メールなどのちょっとしたコミュニケーションで、「なぜ、そんなこと言うかな?」「どうしてそんな行動するかな?」と瞬間的にイラッとしてしまうような相手には、誰しも心当たりがあるのでしょう。

## ⦿仲間に迷惑をかけまくるルフィに、なぜか人がついていく理由

もちろん、寛容な心をもってスルーするのが大人の対応かもしれませんが、お釈迦さ

までもない限りそんなことは不可能です。ここは、**嫌な相手を「キャラ」と割り切ってしまうのが正解**です。

人気漫画『ONE PIECE』（尾田栄一郎／集英社）の主人公・ルフィはご存じでしょう。「海賊王におれはなる！」と宣言し、仲間とともに多くの困難を乗り越えていきますが、実はその困難そのものが、ルフィが猪突猛進《ちょとつもうしん》に突っ走ったり、仲間のアドバイスを聞かなかったりしたことが原因であることも多いのです。

しかし、そのたびごとに仲間たちは「仕方ない」とばかりにルフィを助け、困難を乗り越えていきます。みんな「それがルフィというキャラだからしょうがない」と思っているのです。

ルフィの仲間・サンジにしても、綺麗な女性が現れると必ず目がハートになり、「○○ちゃ～ん♡」とすべての手を止めてくどき始めます。自分が殺されそうになっている場面でも同じです。注意しても同じことを繰り返します。

ルフィもサンジも物語を通じて成長していきますが、「キャラ」はそのままです。そう、「キャラ」は変わらないのです。

同様に、苦手な人に対しても、「キャラだからしょうがない」と考えてみてはどうでしょうか。**「自分と同じであるべきだ」と考えるから裏切られた感を覚えてしまう**のです。「キャラ」だと割り切ると、相手のことを冷静に見ることができます。いい意味で心の距離を保てるので、心が乱されにくくなり、受け止めやすくなります。結果、人間関係の余計なストレスをぐっと減らすことができるのです。

能力についても同じです。「なぜ、あいつは私のように仕事ができないんだ」とイライラするのではなく、「キャラが違うのだから仕方がない」と割り切れるようになります。ルフィに料理番ができない（全部食べてしまう）ことにイライラするのではなく、「ルフィに料理番を頼んだほうが悪い」と思えるようになるわけです。

## ◉部下に「自分のキャラ」を押し付けていないか

相手を「キャラ」と割り切ることには、もう一つメリットがあります。チームのマネジメントやメンバーの育成が格段にやりやすくなるのです。

30代マネージャーの悩みに「部下がなかなか成長してくれない」というものがあります。その理由の一つに「上司が部下に自分のキャラを押し付けようとしている」ことがあります。

ロールプレイングゲームに出てくるキャラクターはそれぞれ「パワーがある」「数多

くの魔法が使える」「とにかくスピードが速い」など、個性を持っています。にもかかわらず、パワーキャラに魔法を教え込もうとしたり、スピードキャラに強い武器を持たせたりしても、その持ち味は活かせません。

しかし、**仕事においては上司が部下に「自分のキャラ」を押し付けようとすることがほとんど**なのです。おそらく、悪気はないのでしょう。30代くらいまでは自分の強みを活かして働いてきた人が多いでしょうから、「それが唯一の成長の道」だと思い込んでいるのです。

だからこそ、「キャラ」が異なるという見方をしてほしいのです。自分はパワー型だけれど、部下はスピード型だとすれば、そのキャラに合わせた指導をするのです。

また、チームメンバーそれぞれの「キャラ」を把握することで、ベストな役割分担も可能になります。たとえば営業において、新規開拓が得意なAさんと顧客メンテナンスが得意なBさんがいたとすれば、「今の企業別担当制をやめて、新規受注をAさんにしてもらい、その後、Bさんに引き継ぐという体制にする」ことで、それぞれの持ち味を伸ばして売上アップを図れるかもしれません。

**「キャラ」と割り切ることで、心の乱れも激減する上、チームマネジメントとメンバー育成もラクに速くできるようになる。**まさに一石二鳥、いや三鳥です。

## ⦿ニックネームをつけるとキャラがより鮮明に。ただし……

　一人ずつ、キャラに合わせたニックネームをつけると、よりイメージが鮮明に湧くようになります。ただし、ネガティブなニックネームは厳禁です。うっかり口に出してしまうとパワハラやいじめと捉えられかねません。

　ネガティブなことをどうやったらポジティブに言い換えられるかを考えてみましょう。たとえば、ズレまくって誰もが手を焼いている人には頭の中で「天才すぎる人」と名付ける。その人の言動を「天才すぎる」と思うと逆に笑えてきて、受け流すことができそうですよね。

　ニックネームにはベクトルがあります。ポジティブなら、よりその良さを引き出し、活かす方向に向かいますが、ネガティブだと「取り扱い注意」のようなレッテルを貼ることになり、その人の可能性を殺すことになるので注意してください

Point

**頭の中で皆にニックネームをつけてみよう。ただし、ポジティブに**

# 5.2 「どうしてもいやな奴」との関係は、情報量で改善せよ

あなたの周りの人すべてと相性がよければ、人生は最高です。しかし、現実にはそれは夢物語。合わない人、苦手な人ともうまくやっていかねばならないのが現実です。「汝の敵を愛せよ」なんてとても無理な話で……。

## ⦿苦手な人はどんどん苦手になっていくというスパイラル

「キャラづけ」をしたところで、どうしても苦手な人、好きになれない人はいるでしょう。「30代にもなって好き嫌いがあるなんて」と考え、無理やり理屈をつけて論理的に頭で納得しようとしても、感情面やメンタル面でいずれムリがきます。

**人間関係にはある特徴があります。自分と合う人とはどんどん関係がよくなり、苦手な人はどんどん苦手になっていくのです。**

一番の原因は「ハロー効果」という認知のゆがみです。ハロー効果とは、ある人の顕著な特徴に引きずられ、事実は抜きにして、その顕著な特徴がその人のすべての評価や認識になってしまうことです。たとえば「ＩＴ社長」「趣味はゴルフ」「ホリエモンと知り合い」となれば、「この人は金持ちですごい人」「港区のタワマンに住んでいそう」などと、事実かどうかは別にして「そうに違いない！」と思い込んでしまうことです。

同様に、元々相性がいい人は何もかもが好意的に感じられる一方、相性が悪い人に関してはすべてがネガティブに感じてしまうのです。結果、嫌いな人をどんどん嫌いになっていってしまうのです。

それを避けるためには、自分の認知のゆがみに気づく必要があります。自分自身のフィルターを抜きにして、冷静に人間関係を見つめなおしてみるのです。

## ◉一人ずつ「知っていること」を書き出すとわかる、驚愕の事実

物事を客観視するためには、「書き出す」ことが有効です。そこでぜひ使ってみていただきたいのが、「人間関係マップ」（Ｐ１７５）です。ここに関係者とその特徴を書き出してみるのです。

いきなり関係者全員の特徴を書き出すのは大変なので、まずは同じ部署の人から始め

るといいでしょう。

名前をリストアップしたら、まずは一人ずつ「知っていること」をどんどん書いていきます。仕事のことはもちろん、出身地、趣味、家族構成、特技などプライベートまで、何でもＯＫです。なるべく細かく書いていきましょう。

次に、やはり一人ずつ、「感情を共有したこと」を書きます。これは「どんな事実があった」「結果、自分がどう感じたか」という構成で記入します。「一緒にプレゼンしてコンペで勝った。手柄を横取りされたようでうらめしく思った」「経費精算を１日遅れで対応してもらった。何も言わずにこやかに対応してくれ、申し訳ないと思った」「新規事業の提案を一緒に行った。結果的には却下されたが、あいつの企画力のすさまじさを痛感した」など、本音ベースで書いていきましょう。

ここまで書いたら、ざっと見直してみましょう。どんな結果になりましたか。

おそらく、「たくさん書ける人とまったく何も書けない人の差」に愕然《がくぜん》としたのではないでしょうか。

相性がいいと感じている人についてはポジティブなこともネガティブなこともたくさ

## 人間関係マップ

人間ゆえに相性があることは前提。関係者一人ひとりについて知っていることを書き出すことで、人間関係の「温度差」を知り、知らない情報を意識して知るようにする。

| | | 田中さん | 斉藤さん | 神林さん | … |
|---|---|---|---|---|---|
| 知っていること | ポジティブ | ・〜〜〜〜〜〜〜<br>・〜〜〜〜〜〜〜 | | | … |
| | ネガティブ | ・〜〜〜〜〜 | ・〜〜〜〜〜〜〜<br>・〜〜〜〜〜〜〜 | ・〜〜〜〜 | … |
| 感情を共有したこと | ポジティブ | ・〜〜〜〜〜〜〜<br>・〜〜〜〜〜〜〜 | | | … |
| | ネガティブ | ・〜〜〜〜〜〜〜 | ・〜〜〜〜〜〜〜<br>・〜〜〜〜〜〜〜 | | … |
| 伝えたいこと<br>確認したいこと | | | | | … |

↑よく知っていて関係が近い（田中さん）

↑ネガティブなことしかしらず、苦手（斉藤さん）

↑そもそも、よく知らない（神林さん）

ん書かれており、プライベートについても多くのことを知っているのに対し、苦手な人に関してはネガティブなことばかりか、まったく何も知らなかったりするはずです。

**人間関係の温度差は、その人についての情報量と相関するのです。**

その事実に気づいたら、苦手な人の、苦手と感じる情報以外を知るようにしてみてください。

たとえば「釣りが好き」という共通の趣味が見つかったとしたら、「釣り好きに悪い人はいない」と、それだけで印象が変わってくるかもしれません。

### ⦿「チームの和」も実は情報量で決まる!?

あなたがマネージャーの場合、部下についての情報量の不均衡がないかもチェックしてみてください。
**人はよく知らない人より、わかっている人に仕事を頼みたくなる傾向があります。**結果、ある人には仕事をたくさんアサインしているのに、別の人にはまったくしていない、ということになってしまいかねません。これでは、評価にも知らず知らずのうちに差がついてしまうでしょう。

　こうした不均衡は、チームの和に確実に影響を与えます。書き出すことで情報量の不均衡を把握したら、今度は相手の何を知らないのか、知りたいのかを書き出してみましょう。

「人間関係をよくする」だと取り付く島もありませんが、「情報量を増やす」なら、具体的な行動を起こせるはずです。そしてそれは、確実に人間関係を改善します。

　情報量を増やしたからといって、やっぱり苦手な人は苦手なままかもしれません。しかし、今までと違う側面を知ることで、関係性や距離感の取り方は確実に変わってくると思います。

　かつては職場での雑談が耳に入ってくるなどの理由で、自然と人の情報が入ってきていました。ただ、昨今はテレワークが一般的になったことでそういう機会が失われ、人間関係に悪い影響を与えている可能性があります。だからこそ、こちらから積極的に情報を求めていくようにしましょう。

Point

**相性は仕方がない。ただ、情報量を増やすことで改善の糸口はつかめる**

# 5.3 話が通じないのはきっと「順番を間違えている」から

**自分なりにわかりやすく話しているつもりが、なぜか話が噛み合わない困った人はいるでしょう。上司やお客様なら最悪。ここで、発想を変えます。よりわかりやすく話すのではなく、「順番を入れ替える」。それだけで大きな違いが。**

## ⦿話す順番を変えるだけで相手に伝わる？

人間関係に関する一番の無駄は「話が噛み合わないこと」でしょう。時間もかかるし、イライラしてストレスも溜まります。そして「この人苦手。嫌い」とシコリが残ります。最短で成果を上げるためには、生産性が低く、ストレスがたまるやり取りはスパッとなくしましょう。

その解決方法は意外と簡単です。**自分が重要だと思っていることから話すのではなく、相手が重要だと思っていることから順番に話すようにすればいいのです。**このシンプルな方法で、一発で確実に伝わるようになります。
例を出しましょう。クーラーを買いにきたお客様と店員のやり取りです。
お客様「クーラーが欲しいのですが……」
店員「今お勧めのクーラーはこれです。省エネでありつつ性能もよく、自動で清掃してくれる機能も付いています」
お客様「安いのはどれですか？」
店員「安いのは性能が低くて電気代もかえってかかるので、ある程度高いものを買ったほうがいいですよ」
いかがでしょうか。お客さんが「安いのが欲しい」と言っているのに、店員は自分が話したいことばかりを話すため、まるで「ゴリ押し」しているような印象になります。
一方、以下の例はどうでしょう。
お客様「クーラーが欲しいのですが……」
店員「どんなクーラーをお求めですか？」↑一番重要視しているものを聞く

お客様「安いのがほしいです」
店員「一番本体価格が安いのはA社のこちらです。ところで何年くらいクーラーを使う予定ですか？」↑相手が重要視していることに答え、その次に重要視しそうな視点で聞く。
お客様「15年は使いたいですね」
店員「15年ですか。そうであれば、電気代もかからず、保証内容がいいこちらのB社をお勧めします。自動洗浄機能がついているので、業者にクリーニングを頼む必要がなく、それを踏まえると年間1万円もお得になります」↑相手が重要視していることに沿って、自分の伝えたいことを交えて答える

より、お客さんのニーズに寄り添っていることがわかります。当然、購入してくれる確率も高まるでしょう。

## ◉「相手にとっての正しさ」だけが正解

以上の例はセールスでしたが、社内でのコミュニケーションでも同じです。部下が納期の遅れについて相談に来ているのに、「そもそも品質面は大丈夫なの？」と話し始め

たら、話が混乱するのは必定《ひつじょう》です。まずは「納期については少々バッファーを持っているから大丈夫だ」と答えたうえで、「だからこそ、品質面をもう一度確認しておこう」などと自分の言いたいことを伝える。この流れが重要です。

「正しい」が成立する条件は2つあります。「客観的に正しい」と「相手の重要度に沿って正しい」です。**コミュニケーションでは「相手の重要度に沿って正しい」が一番大事**なのです。

**客観的な正しさにこだわり、あくまで論理的に相手を論破したところで、相手との間にしこりが残るだけ**です。30代からは大人の対応をしましょう。

Point

**「相手の知りたいことを最初に」。ただそれだけで、話はびっくりするほど通じる！**

# 5.4 ソラ・アメ・カサなら一発で伝わる

迅速な判断をうながすフレームワーク「ソラ・アメ・カサ」をご存じでしょうか。これをコミュニケーションに活用すれば、その時短効果は絶大です。

## ◉マッキンゼーがつくった最もシンプルなフレームワーク

「ソラ・アメ・カサ」という言葉をご存じでしょうか。これは、マッキンゼー日本支社で開発された問題解決の型の一つで、小学生でもすぐ理解して使えるくらいシンプルなフレームワークです。

ソラ「空を見ると曇ってきた（事実）」
アメ「雨が降りそうだ（解釈・判断）」
カサ「傘を持っていこう（打ち手）」

この3つをセットにして伝えれば認識のズレもなく、正しく相手に判断してもらえるというものです。

ソフトバンクグループの孫正義社長が経営判断で重視しているのもこの「事実」「解釈・判断」「打ち手」の3セットだそうです。

逆に、このうち一つでも欠けていると、説得力は一気に落ちてしまいます

たとえば、「ソラ」が抜けてしまうと、

アメ「雨が降りそうだ（解釈・判断）」
カサ「傘をもっていこう（打ち手）」

となり、根拠がなくなってしまい、信頼度が格段に落ちてしまいます。

ソラ「空を見ると曇ってきた（事実）」
カサ「傘を持っていこう（打ち手）」

これだと「アメ」という解釈が入っていないために、「私は持っていかない」「傘だけでなく長靴と雨合羽も用意すべきでは」などと、解釈に幅が出てしまい、打ち手の足並みが揃わなくなるリスクがあります。

ソラ「空を見ると曇ってきた（事実）」
アメ「雨が降りそうだ（解釈・判断）」

これだと「カサ」がないため、「だからどうした」という話になってしまいます。

ただでさえ、日本語は省略が多い言語です。頭の中ではきちんと描いていても、伝える時についはしょってしまい、結果、言った／言わないの水掛け論になるのです。

この「ソラ・アメ・カサ」は、自分の思考のチェックにも使えます。ソラが抜けていれば「根拠となる事実は何か？」、アメが抜けていれば「何が論点なのか？」。カサが抜けていれば「どんな打ち手がいいか？」を確認すれば、正しい結論を導き出すことができます。

## ⦿ソラ・アメ・カサはどの順番でも構わない

ちなみにこの「ソラ・アメ・カサ」は順番ではなくセットで伝えればいいので、順番は問いません。むしろ、前項でお伝えしたように、コミュニケーションにおいては「相手の重視している話を先にする」のが基本です。**「ソラ・アメ・カサ」のうち相手が一番気になるものを最初に持ってくればいい**のです。

ソラ「お客様が来ない（事実）」
アメ「来月にはお店が潰れそうだ（解釈・判断）」
カサ「銀行から追加融資してもらおう（打ち手）」

少し暗い話題で恐縮ですが、この例をもとに考えてみましょう。もし、相手がいち早

く経営状況を知りたいのならば、

アメ「来月にはお店が潰れそうだ（解釈・判断）」
ソラ「（なぜなら）お客様が来ない（事実）」
カサ「（なので）銀行から追加融資してもらおう（打ち手）」

と伝えればいいのです。あるいは、「結局、どうするのか」に関心があるのなら、

カサ「銀行から追加融資してもらおう（打ち手）」
ソラ「（なぜなら）お客様が来ない（事実）」
アメ「（なので）来月にはお店が潰れそうだ（解釈・判断）」

と伝えるのです。

この「ソラ・アメ・カサ」を口癖にしておけば、格段に「話が通じやすくなる」のでぜひ使ってみてください。

Point

**「ソラ・アメ・カサ」を口癖にしておこう**

# 5.5 「報連相」はもはや時代遅れ。ズレない報告の技術

**ビジネスの基本としてよく使われる「報連相（報告・連絡・相談）」という言葉。しかし、それだけでは本当に効率的なコミュニケーションはままなりません。それはなぜか。そして、本当に効果的な手法とは？**

## ◉報連相ではうまくいかない致命的な理由

30代は部下や後輩から報告を受けるとともに、上司に対して報告をしなくてはならない立場でもあります。その際のコミュニケーションのコツとして、「報連相」という言葉がよく使われますが、**報連相には致命的な欠陥があります**。

前項で紹介した「ソラ・アメ・カサ」と報連相を照らし合わせてみると、その理由が見えてきます。

報連相「ライバル企業が我が社より安い見積もりを提案してきました。どうしたら

いいでしょうか？」

ソラ「ライバル企業が我が社より安い見積もりを提案してきました」

アメ「？？」

カサ「今すぐ打ち手を検討したいと思います」

「報告」も「連絡」も、結局は「ソラ（事実）」を伝えるということです。そして、「相談」で打ち手（カサ）の話し合いをするわけですが、アメ（解釈・判断）が抜けてしまっているのです。

すると、上司は部下からの報告を踏まえ、状況を自分なりに解釈・判断し、どうするかという打ち手を部下に伝えることになります。しかし、上司の解釈・判断（アメ）はあくまで上司の頭の中にだけ存在するため、部下としてはなぜその打ち手になったのかは想像するしかありません。結果、意図のズレが発生しやすくなるのです。

## ⊙上司と部下で解釈が違えば、打ち手もズレるのは当たり前

例を出してみましょう。

部下が「ライバル企業が我が社より安い見積もりを提案してきた」という報告をして

きたとします。それを聞いた上司は、「ライバル会社より高くない印象を持たせるように、再度見積もりを取るように」という指示を出しました。それを受けて、部下が安い見積もりを作って持っていったところ、「じゃあ、今までは高く売りつけていたのか」と相手企業に激怒され、信頼を失ってしまった……。

なぜ、このような問題が起きたのでしょうか。「ライバル企業が我が社より安い見積もりを提案してきた」ことに対する解釈がなされていなかったからです。

上司としては、「うちのほうが付加価値が高いことを提示し、決して高くないという印象を与えることが必要」と解釈したのに対し、部下は単純に「安さで勝負することが必要」と解釈したということです。

この事例の場合は「高くない印象」というあいまいな言葉を使ってしまったという問題もありますが、やはり根本的な問題は、「アメ」が共有されていなかったことでしょう。アメさえ共有しておけば、「品質が高く壊れにくいので、ランニングコスト的にライバルよりお得」と説得するか、「導入費用を安くするが、メンテナンスコストで回収を図る」かを、部下も判断することができたはずです。

だからこそ部下はなるべく「アメ」を伝えるべきですし、上司は部下の報告にそれが抜けていると感じたら、積極的に聞き出すようにすべきです。こうすることで、認識のずれはかなり解消されるはずです。

一方で、上司の指示に「アメ」が抜けているようなら、部下のほうからそれを確認する必要もあります。これは、「上司がどのように判断するのか」を知るチャンスにもなります。

**ポイントは、「今後どうなりそうか?」という未来予測です。**それを元に打ち手を考えていくわけですから、ここにズレが生じると解釈や打ち手にズレが生じてしまいます。

ただ、これは難しいことではありません。「どうなりそうか?」を上司と部下で確認すればいいのです。たったこれだけのことで、認識のずれは解消されるのです。

Point

**「どうなりそうか」を確認する。それだけで認識のずれは防げる**

# 5.6 細かい説明は逆効果。一発で伝わる指示のコツ

**自分が指示した通りに部下に動いてもらえれば、仕事は格段に速くなる。しかし、実際にはなかなか難しいのが現実。しかも、細かく指示すればするほど、なぜかうまくいかなくなる……。このスパイラルから抜け出すためには？**

## ◉指示は細かくすればするほど伝わらない!?

「指示は具体的なほうがわかりやすいし、伝わりやすい」。そう考えるのは自然なことですが、実はここに罠があります。

あなたが、初めてバーベキューに来た人に玉ねぎを炒めてもらうとします。おそらくは親切心から、細かく指示をするのではないでしょうか。

「玉ねぎは弱火で炒めるんだけど、弱火というのは、このつまみをカチッという音がするまで動かしてから、つまみを45度まで戻します。ガスの火の大きさは２㎜で……」

確かに丁寧です。しかし、初めてバーベキューをする人にとっては、指示が多すぎて、キャパオーバーになってしまいます。その結果、中途半端に指示を実行して失敗。そして指示を出すほうはさらに細かく指示を出すという悪循環に陥るのです。

**指示をするほうは頭の中に映像が浮かんでいますから、いくらでも細かく指示ができます。一方、指示をされる側には映像がないため、脳のキャパが足りなくなってしまう**のです。結果、親切心があだとなってしまうわけです。

## ◉「3点セットの指示」で一発で伝わる！

こうした細かい指示は伝わりにくいうえ、指示するほうも大変です。では、「速くてラクで確実な」指示とはどういったものか。**ポイントは、「アウトプット、コツ、理由」をセットにすることです。**

先ほどの例で言えば、「そのまま食べられるよう、あめ色になるまで玉ねぎを炒めてね」とアウトプットまで指示すれば、指示された側はアウトプットのイメージが湧きます。すると、「つまみを45度で」「2㎜の炎で」などというコツも頭に入りやすくなりますし、そもそもそんな指示がなくても、自分で調整して炒めることができるようになるのです。

ただ、**意外と難しいのが「コツ」の伝え方です。**コツとはつまり「How（どうやるか？）」ですが、実際には「指示（何を）」を細かく出してしまうことが結構な確率であるのです。

これも例を見てみましょう。市役所の人がイベントでの集客について相談しているケースです。

部下「あと20人は参加者を増やしたいのですが、どうしたらいいでしょうか」
上司「まずは最低でも1日5件は市民の自宅に訪問したらどうかな」
部下「なるほど。自宅訪問するためにはどうすればいいのですか？」
上司「1日30件は電話かけてアポとらないと厳しいね」
部下「30件も！　それは結構大変ですね。」
上司「留守の人もいるから、電話先リストを毎日50件は用意しないとね」

一見、相手に丁寧に「コツ」を示しているように見えます。しかし、実際にこれで成果が出るでしょうか。突然電話してアポイントをお願いしたところで応じてもらえるかは未知数ですし、どんなリストを使うかでも成果は大きく変わってきそうです。

結局、ここで示されているのはコツではなく「作業」なのです。作業をいくら細かく分解しても、コツにはなりません。

**本当の「コツ」は、「なぜ、それをやるのか」の理由が明快です。**

上司「アポは過去のイベントの参加者のリストを使って、『なぜ、イベントに参加してくれたのか調査しているので、お時間をいただきたい』と言うと、取りやすいよ」

部下「なるほど！　確かにそうすればアポは取れやすそうですね」

上司「そこで、『以前のイベントは参加してくれたのに、今回参加されなくなった理由を教えてほしい』と言えば、理由を教えてくれるはずだよ」

部下「そうですね。でも、それをどう参加に結びつけるのですか？」

上司「参加しなくなった理由を整理し、解消する方法を考えれば参加してくれる可能性が高まるよね」

このように、「なぜ、それをやるのか」の理由が明快なのが、本当のコツなのです。

Point

**指示は細かくするのではなく、「アウトプット、コツ、理由」の3点セットで**

## 5.7 30代になったら「戦略的スルー」を使いこなせ

**他人のひと言に心を乱され、仕事が手につかない……。そんな経験は誰にでもあるはず。ここで下手に「対処しよう」とするとドツボにハマります。「戦略的にスルーする」のが正解です。**

### ⊙心が乱れるのは、自信があることの裏返し？

他人のひと言がどうしても気になって、心が乱れてしまうことは誰にでもあるもの。しかし、それが仕事のパフォーマンスにまで影響を与えてしまったら本末転倒です。だからといって、すべてを許すような包容力は、聖人君子でもない限りなかなか持てないのが普通です。ここは**「戦略的にスルー」することを覚えましょう**。

この「戦略的スルー」を身につけるにはまず、自分の心がなぜ乱されるのかの根本原因を知る必要があります。実はその理由は、たいていの場合2つに集約されます。それは、「大事にしている価値観」や「自分が密《ひそ》かに得意だと思っていること、自信があること」を否定されることです。

　これについては意外に思われる方も多いことでしょう。「自分が苦手なこと、できないことを否定されるから傷つく」と思われるかもしれませんが、実際には逆なのです。例えば「頭が悪いね」と言われてカチンときたとします。それは、実は「自分は頭がいい」と密かに自負していることの裏返しなのです。

　たとえば子どものころは神童と呼ばれていたとか、一流の大学に合格したとか、成績のよさがアイデンティティになっている。あるいは、「リーダーは頭がよくないといけない」などと思い込んでいる。だからこそ、そうした信念が否定されたことに対して、つい心を乱してしまうのです。

　おそらく、そういった価値観で生きてこなかった人は、別に「頭が悪い」と言われても気にしないことでしょう。結局、あなたの心を乱しているのは相手の発言そのものではなく、**相手の発言によって自分で勝手に心を乱しているのです。**

## ◉イラっとした時こそ「客観的に自分を見る」

　以上を踏まえて、「戦略的スルー」の方法をお教えしましょう。

まず、何かの発言にイラっとしたら、「そうか、今言われたこのことが、私が大事にしていることなんだ」と客観的にとらえてみましょう。たとえば「仕事が遅いと言われて傷ついた」のなら、実は「自分は仕事を早くこなすことを重視していたんだ」という価値観が見えてきます。

あるいは、「そういう見方もあるのか」と他人事のようにとらえてみましょう。「自分ではそれほど仕事が遅いとは思っていなかったが、そういう見方があるのか」というように捉えます。つまり、あなたの心の動きをアナウンサーの実況のように解説していくのです。

すると、**第三者の視点から客観的に物事を見られるようになり、落ち着きを取り戻せます**。結果、相手の言葉があなたの心に入る前に、攻撃を止めることができます。

続いて、それに対して「まあいいか」や「だから何？」と受け流すのです。心に入り込む手前で止めているので、比較的簡単に受け流せるはずです。これで、ムダに傷つくこともなくなります。

## ⦿仕事ができなくても死ぬわけじゃない！

この方法でうまくいかない場合は、「そんな自分もＯＫ」と考えてみましょう。「頭が悪い私もＯＫ」「太っている私で何が悪い」「やる気のない私も全然ＯＫ」と自分にＯＫを出す方法です。

**仕事ができなくて怒られたとしても「たかが仕事」「この仕事ができなくても別に命を落とすわけではない」と開き直ると、心がラクになります。**

心を乱された状況を抜け出すのに必要なのは、「それに気づくこと」、これだけなのです。そして心の執着に気づいたとたん、そんなことを気にしている自分が滑稽《こっけい》に見えてきます。

そもそも、あなたが頭がいいかどうかを決めるのはその人ではありませんし、相手がどう言おうと、あなたの頭の良さが変わるわけではありません。戦略的にスルーすることで感情をコントロールして「幸せな人生を送った人が勝ち」なのです。

Point

**受け止めずに、受け流し、開き直る。それが心の平穏を保つコツ**

# 5.8

# 「余計な口癖」をなくし、敵を増やさない

**人間関係改善の最大のコツは「嫌われない」「余計な敵を増やさない」こと。しかし、どうしてもそれがうまくいかない人は、知らず知らずに発している「余計な一言」「口癖」が原因になっている可能性も……。**

## ⊙30代は余計な一言を使いがちなお年頃

自分が人の発言で傷つくのと同様に、自分が無意識のうちに発した「余計な一言」が、ある人を傷つけたり、イラっとさせてしまうこともあります。自分ではそれに気づかないことも多いのがやっかいなところです。

こうした「余計な一言」は昭和のオジサン世代が言いがちに思えるかもしれませんが、実は30代こそ危険です。

その理由は2つあります。一つは、30代はちょうど仕事で一人前以上になり、成果も出せるようになったことで、自信の芽がどんどん伸びていくタイミングだということ。しかし、その自信はまだ、確固たるものではありません。すると、本人も気づかないうちに、**他人と競争、比較して優位に立とうという防衛本能が働き、それが「余計な一言」になる**のです。悪気はなく、無意識のことも多いのです。

もう一つは、まだまだコミュニケーションのバリエーションが少ないということ。そのため、想定外の発言に対してつい余計な一言を発してしまいがちなのです。

こうした余計な一言は「口癖」として表れることが多くあります。そこで、そんな「余計な口癖」の代表的なパターンを、ここではご紹介したいと思います。

## ①「俺が俺が」……怪獣オレガー症候群

会話の中で「私は〜」「俺が〜」という言葉を多用する人がいます。典型的なのが、会議の場などで意見を求められた時、「その通りですが、付け加えると私は〜」などと、最後に自分の見解を言わないと気がすまないタイプ。**自分をアピールしたいのでしょうが、「最後に全部持っていこうとする人」という悪印象につながりかねません。**

そもそも、「私が」「俺が」を多用するのは、実際には自信の裏返しであることが多く、かえって器が小さく見えてしまいます。

自分の意見を言うことはかまいませんが、必要以上に「私は」「俺が」という言葉を使っていないか、つまり「怪獣オレガ――」が出現していないか、常に確認するようにしましょう。

### ② ほめた後に、「だけど」と言ってしまう症候群

照れ隠しのつもりなのか、誰かをほめる際につい「だけど」といって余計な一言を発する人がいます。たとえば、

「議事録はよくまとまっているけど、今度はもっと会議で積極的に発言してくれよ」

「あの人、人はいいんだけど、ちょっとルーズなところがもったいないな」

といったものです。**せっかくのほめ言葉も、「だけど」の後ばかりが印象に残ってしまいます。** ほめる際は「議事録よくまとまっているよ、ありがとう」で十分です。

### ③ 「あなたのため」症候群

「あなたのためを思って言っているんだ」

「君のことを考えて指摘するんだが、その性格を直しておかないと後で困るぞ」
「あえて愛あるダメ出しをすると……」

ハッキリ言ってすべて余計なお世話です。**「あなたのため」と言いながら、実際には自分が言いたいだけ**です。にもかかわらず、「あなたのため」などという枕詞をつけるから、かえって押しつけがましく思われてしまうのです。

子どもの頃のことを思い出してください。「あなたの将来を思って……」というアドバイスが役に立ったことはありますか。むしろ、親世代の常識を押し付けてきたと感じたのではないでしょうか。それと同じことです。

どんなに正しいことでも、価値観を押し付けられたと感じたら、受け入れてくれません。どうしても言いたいことがあるなら、ストレートに言えばいいのです。

Point

**「余計な口癖」は30代のうちに直しておこう**

# 5.9 「言い換えのレパートリー」で失言を防ぐ

**ついつい余計な一言を言いがちな人は、「言い換え」を意識するのがお勧めです。さらに、どんな言葉もポジティブに変える「魔法の口癖」を覚えておけばより完璧。これで、失言によって敵を増やすことはぐっと減るはずです。**

## ⦿口癖ごとに、「言い換える」表現を整理し、暗記しておく

自分の口癖に気づいたら、あとはそれを意識して、使わないようにするだけです。周りの人に指摘してもらうのもアリです。

ただ、より効果的なのは「言い換え」です。あなたの口癖のパターンに応じて、**それを相手が受け入れやすい言葉に変換した一覧表を作り、それを暗記します。**

そして、ある言葉が頭に浮かんだ瞬間に、カードをひっくり返すようにぱっと切り替える。そんなイメージです。

どんな言い換えがいいかは人それぞれですが、共通するコツを上げてみましょう。

### 1　不安をあおる言葉は「ダイレクトに」伝える

「大丈夫？」といったように、相手に不安感を抱かせかねない言葉が口癖になっている人は、むしろ気になっていることをダイレクトに言い換えるようにしましょう。「間に合いそう？」「例の件順調に進んでいる？」などです。

　単に会話のきっかけとして「大丈夫？」と話しかける人もいますが、これも「何か困っていることはない？」くらい具体的に聞いてあげたほうが、相手も反応しやすくなります。

### 2　心配事は、裏返す

　一方、「心配事は裏返す」というテクニックもあります。たとえば「間に合いそう？」ではなく「順調に進んでいる？」のように言い換えるのです。

「疲れてない？」と聞かれると、まるで自分が疲れているんじゃないかという気になってきます。むしろ「元気そうだね？」と言えば、少なくとも不快に思われることはないでしょう。

どうせ口癖にするならば、ポジティブな表現を使いたいところです。

## 3　こちらの正しさを強調せず、前に進める

「前にも言いましたが」「議事録にもあります通り」などと、前に言ったこと・伝えたことを強調する人がいます。相手にも思い出してほしいという親切心なのかもしれませんが、相手からすると「そんなことも覚えていないのか！」と責められているような気になることも。

もちろん、何度言っても覚えてくれない人に「前に言ったでしょ」ということをアピールしたい場合もあると思いますが、それでは言った言わないの水掛け論になるばかり。ここは「議事録がわかりにくくて失礼しました」などと、大人の対応で議論を先に進めるのが正解です。

## 4　未来に目を向ける

何か問題が起きた時、どうしても「なぜこんなことになったんだ」と問いただしたくなります。しかし、すでに事件が起こってしまっている以上、大事なのはその先です。「なぜできなかったのか？」より、「どうすればリカバリーできるか？」が重要です。

このように、何かを問いただしたり、理由を聞きたくなったりしたら、「なぜ」「どうして」という言葉を封印し、「未来に目を向ける」意識を持つようにしてみましょう。そのほうが健全な議論につながります。

## 5　評価を手放し、シンプルに伝える

誰かをほめるのは簡単なようでいて、実は結構難しいものです。中でも多いのが、**ほめているつもりがいつの間にか「評価」になってしまっている人**です。

たとえば、「今回の髪型、よく似合っていますね」という表現は、「前回と比べて、今回はいい」という評価になってしまっています。本人にそんなつもりはなくても、「前回の髪型はそんなに似合ってなかったのか」と受け取られてしまう可能性があるということです。

「センスありますね」「評判いいですよ」なども、相手を「評価」するニュアンスが出てしまうので注意したいところです。

「自分が言われたらどう感じるか」を自分に問い、誤解されない表現を選びたいところですが、そんなことを考えるくらいならいっそ、シンプルにひと言でほめてしまうほうがいいかもしれません。「凄いね！」「感動した！」で十分に伝わります。

どうすごいのかを伝えようという気持ちが、余計な一言を生み出してしまうのです。

こうした言い換えについては、『よけいなひと言を好かれるセリフに変える言いかえ図鑑』（大野萌子著：サンマーク出版）など、ビジネス書がたくさん出ています。それらを参考にして、「これだ」と思うものを暗記するのも手です。

## ⊙「いい意味で」で、余計な一言をチャラにする

さて、本章の最後に、どんな言葉でもポジティブに言い換えられる魔法の口癖をお伝えしましょう。それは**「いい意味で」**です。

「あなたっていい意味で慎重だよね」

「いい意味で個性的だよね」

どちらも単に「慎重」「個性的」と言うと、とらえようによっては悪口になってしまう可能性がありますが、「いい意味で」をつければ印象はがらりと変わります。

あるいは、つい余計な一言を言ってしまった後に、

「あなたって鈍感だよね、いい意味で」

「ハイブランド好きだよね、いい意味で」

「慎重すぎるよね、いい意味で」

とすれば、ネガティブな印象を切り替えることもできます。言葉によっては少々苦しい時もあるかもしれませんし、一度言ってしまった失言はなかったことにはできませんが、少なくともポジティブな方向にチェンジすることはできます。

また、「いい意味で」を口癖にすると、自分の思考自体がポジティブになってくるという効果があります。すると、実際にその人のポジティブな面が見えてきて、スラスラとほめ言葉が出てくるようにもなるのでお勧めします。

Point

**言葉は、足さずにシンプルに伝えることを意識せよ**

# 第6章

# 30代からの「社内政治の教科書」

## 6.1

# 30代からは「組織活用」しよう

30代は個人の作業レベルを超えた大きな成果を期待される。ゆえに、一人ではなく、社内外の組織を活用しないと実現できません。そのコツを解説します。

### ◉誤解されがちな「根回しの本質」

「一人で頑張る」ことが評価された20代と違い、30代では「組織を動かし、より大きな仕事をする」ことが求められます。

しかし、さまざまな部門や立場の違う人がいる会社組織では、利害が衝突して当たり前。意見や提案がすんなり通ることなど、まずありえません。

その時、「正しい提案をしても、承認されないのは上がバカだからだ」と愚痴を言うのは20代まで。**30代からは「正しい意見を実現可能な形で通して、組織を動かしていく」ことが求められます。**いわゆる社内政治が大事になるのです。

そこで必須になる能力があります。それが「根回し」です。

根回しというと「裏から手を回す反則技」と誤解されがちですが、そうではありません。**根回しの本質は「反対意見を事前に把握しにいくこと」です。**そして、反対理由を把握し、やらない理由をひとつずつ潰し、提案内容のリスクを減らし、完成度を高めながら、賛成派を増やしていく前向きな行動です。

ちなみに、根回しは日本企業独特のもので外資系にはないという話を聞きますが、そんなことはありません。むしろ外資系企業では、根回しなしに大きな議案をかけるなど聞いたことがありません。日系・外資系に関わらず、自分の提案を通すなら、味方を増やすことが王道なのです。最低限、「敵ではない人」を増やす必要があります。

## ⦿根回しはゲームと割り切ると楽しくなる

**反対意見に直面するのは嫌なものですが、コツは根回しをゲームと割り切って楽しんでしまうことです。**ただ、ゲームといっても、反対意見を論破するのではありません。論客は議論で勝っても政治で負けます。論が立つ人は嫌われ、出世もできない。これは、人事の世界では常識です。

反対意見が出る原因は主に2つあります。

①立場が違い「正義」が異なる
②心理的な距離や好き嫌い

まず、①については、あなたの提案をより良くするゲームをやっていると考えます。

仮にあなたが営業であれば、「売上を上げる施策」を中心に考えるはずです。一方、調達、製造、管理などの部門は、コストの視点が強くなります。

そこで、営業施策を立案する際には、反対意見を真摯に聞き、それをクリアするゲームをしていると考えるのです。そうすることで新たな視点が補われ、より確度が高い骨太な提案に近づきます。

あなたが「意見を聞きたい」と申し出れば、感情的に反発していない限り、重要な指摘してくれるケースが大半です。「競合他社のデータはとったのか?」「この未来予測の前提は?」「この点をクリアしないと」など、前に進むヒントを教えてくれるのが一般的です。

**反対＝敵ではなく、同じ組織の味方として、あなたの提案をより良くするためにあえて敵役を演じていると思えば、心理的負担も減ります。**

そして、②の心理的な距離や好き嫌いがある人は、ゲームに出てくる「敵キャラ」と割り切りましょう。敵キャラを分析し、どの武器でどの順番で倒せばいいか「攻略本」をつくるのです。

ポイントは、「裏の組織図」を描いてみることです。たとえば、

・Ａ課長とＢ取締役は同じ大学で同じゼミだったこともあり仲がよい。
・実は総務ではベテランのＣさんがキーマンで課長より影響力がある。

というように、裏の組織図に沿って根回しする順番や中身を思い描くのです。

あるメガバンクでは、実は孫会社の役員がキーマンになっていました。そのため、メガバンク本体で提案を通したい課長、部長、役員が根回しのため常に行列していました。

また、とあるオーナー企業では、ＩＴ嫌いの社長を説得するために、社長の息子である係長を巻き込むことで、ＩＴ導入を実現させたことがありました。

根回しは決して汚いことではなく、30代が活躍するための必須スキルだということを、ぜひ覚えておいてください。

Point

**ゲームとして割り切れば、根回しも楽しくなる**

# 6.2

# 「根回しの順番」を間違えるな！

**根回しは決定権を持つ権力者から――と考えていると、思わぬところで足元をすくわれるハメになる!?　根回しの正しい順番とは？**

## ⦿一番ダメなのは「相手の面子を潰すこと」

「根回しは最終決定者から順番に」。こう考える人は少なくないでしょう。

しかし、むしろ**根回しは、物事を自分の頭で考え、判断できる理性的な人から行いましょう。**この人たちは、建設的、中立的な意見をくれるありがたい存在だからです。

一方、「〇〇専務はなんと言っていましたか？」などと聞いてくる人は、多数派に従うだけなので後回しで大丈夫です。理性的な人たちから押さえ、外堀を埋めることで、彼らは自然と味方になります。そして、勝算をつかんだうえで決裁の場に向かいます。

注意したいのは、最終決裁者がサラリーマン的な調整型リーダーの場合です。その際、リーダーが誰の顔色をうかがっているのかを把握しておきます。意思決定の際、その人を賛成派として引き入れておかないと、ひっくり返されるリスクがあるからです。

もちろん、社内においても社外においても、意思決定者に近い人を押さえたほうが効果的ではあります。ただ、社内なら上司の上司、社外なら担当者の会社の社長や上司などにアプローチする時は、注意が必要です。トップアプローチは諸刃《もろは》の剣になるからです。

考えてみてください。上司や担当者をすっ飛ばして上にアプローチし、トップダウンで事案が下りたら、上司や担当者の面子《めんつ》は丸つぶれでしょう。その結果、せっかく案件が通っても協力が得られない恐れもあります。**無益な戦いは避けるのが一番。「戦」いを「略」すのが戦略です。**

この場合のコツは、上司や担当者と一緒になって「意思決定者を味方にするにはどうしたらいいか」を考えることです。彼らを一緒にゲームをクリアする仲間に巻き込むのです。

## ◉「トップアプローチ」は慎重に

そこまでしても上司や担当者が動いてくれないなら、初めてトップアプローチを考えます。

ただし、いきなり正面突破は厳禁です。

**ポイントは、裏の組織図をもとに、直接の仕事以外の場でゆるく意思決定者とつながることです。**出身校の集まりに参加する、趣味の場で交流を持つ、行きつけの店を探ってアプローチするなど、方法は何でもＯＫです。

そして、実際に意思決定者に会う機会をもらえたら、そのことを上司や担当者に事前にきちんと伝えておきましょう。「偶然ですが、意思決定者の××専務と私が同じ大学のゼミの先輩・後輩で、２週間後にゼミの卒業生の飲み会があります。場合によっては、××専務とお話しするかもしれませんが、仕事の話はしないでおきますね」などと伝えておけば、彼らは安心します。

ここで黙っていたり、事後報告するのはアウトです。仕事の場ではなくても、面子を潰されたと感じる人もいるからです。どんな形であれ、上司や担当者にとって「自分を飛ばされること」は不安材料にしかなりません。

その場で大した話ができなかったとしても、あとできちんと報告しましょう。**「いざとなったら、トップに直接アプローチできる」というカードを見せておくことで、上司や担当者をけん制できるからです。**こうなると、あなたを無下にはできなくなります。

いずれにしても、仕事相手の面子を潰すような真似だけはしないことです。30代も中盤を過ぎると、面子が何よりも大事な人が増えてくるもの。それを潰してしまうと、進むものも進まなくなります。そんなケースをこれまで私も何度も見てきました。

Point

**根回しで重要人物をすっとばさないように注意**

# 6.3 根回しは「分子」と「分母」で考える

本当に「人を動かす」ためには、プロジェクトの実行部隊である現場の心をつかまなければなりません。では、現場との信頼関係を築くためにはどうすればいいのでしょうか？

## ⊙上だけの根回しは30点

根回しは、上だけでは不十分です。足元をすくわれる恐れがあるからです。

根回しは「分数」のようなものだと考えてください。「分子」と「分母」、それぞれの根回しが必要になるのです。

「分子の根回し」とは、先ほどご説明した「上への根回し」です。一方、「分母の根回し」とは、「現場への根回し」です。

分子が承認を得るために必要な交渉部隊だとしたら、分母は承認を得たプロジェクトをスムーズに進めるための「実行部隊」。双方に味方を増やしておくことで、よりスピーディに結果を出すことが可能になります。

しかし、**現実には多くの人が自分の提案を通すことばかりを考えて上への根回しに集中し、現場への根回しを怠りがち**なのです。

その結果、上のＯＫをもらっても、「そんな話は知らない。私たちを無視するなんて面白くない」と現場の反発を買ってしまうのです。結局、上が決めても、現場がノーと言えば物事は動かないのです。

「経営会議で決まったから」と目上の人の名前をチラつかせたところで、動いてもらえるとは限りません。そもそも、上の権威を借りないと説得できないのでは、ダサいですよね。

だからこそ、分子（上への根回し）と分母（現場への根回し）の両方を同時に進めていく必要があるのです。

## ◉根回しの「やってはいけない」

意外に思われるかもしれませんが、根回しの順番は「分母（現場への根回し）」が先です。現場の方々の信頼を得るには、時間がかかるからです。
逆に、**自分を大事にせず無視されていると思われたら最後。嫌われるのは一瞬です。**

正式に上に話す前に、「こういうことやろうと思うんだけどどう？　一緒にやらない？」と軽く話しておくのもいいでしょう。「この仕事を進めるにはあなたの力が必要」とお願いして、相手の自尊心をくすぐるのも効果的です。相手の興味関心を引き出し、当事者意識を醸成することがポイントです。

ただし、根回しが必要な時だけ声をかけるようでは、「自分の得になる時にしか動かないやつだ」と見透かされてしまいます。普段から意見交換や情報交換、あるいは雑談などで関係を作っておくようにしましょう。「最近どう？」のような一言でも、十分効果があります。

コロナ禍によりリモート勤務も増えている昨今、チャット機能などをうまく使うことも重要です。ただし、注意したいのは、上への根回しが十分でない状況で、メールやチャットの文章で根回しをしないことです。文章になると、「切り取られて」拡散されるリスクがあるからです。

提案の中身や重要なことはZoomやMicrosoft Teams（チームズ）などのオンライン

## 根回しは「分子」と「分母」で考える

根回しは「上」に意識がいきがちであうが、
「横」と「下」をおさえておかないと実行時に頓挫する。

**根回し** ＝

**自分より「階層」が上**
承認／非常時にキーとなる根回し

―――――――――――――

**自分より「階層」が横と下**
実行時にキーとなる根回し

会議ツールを活用し、デジタル上に証拠が残らないようにするのが得策です。

### ⦿日常のルーティンで現場の信頼感を先に勝ちとる

最近、会社でリーダーに求められる要件が大きく変わってきています。

今までは成果を上げ、上司の覚えがいい人がリーダーになってきました。

しかし今は、「この人についていきたい」と部下や後輩、あるいは事務スタッフの人から評価される人がリーダーになるのです。

では、彼らの信頼を勝ち得るのはどうすればいいのか。それぞれの役割を尊重した対応を一貫して取ることです。

具体的には、以下のようなことです。

- 書類など提出納期は必ず守る
- 上から目線で物事を頼まない
- 「ありがとう」を声と形にして表す

経費の精算など、直接売上につながらないからと後回しにすることは、もってのほかです。「バックオフィスは直接的な利益を上げない」と軽視する姿勢は、一発で見抜かれ、嫌われます。

なるべくミスも減らしたいところです。書類の不備やミスはバックオフィスの仕事を大いに妨げます。

周りはあなたのことをよく見ています。**自分より立場が弱そうな人に強く、立場が上の人には弱い態度を取る人が一番信頼されません。**

時には普段のお礼として差し入れをするのも効果的です。遠方に出張に出た時は「九州限定　明太子ポテトチップス」のようにご当地もののお土産を買ってきてもいいでしょう。値段は安くていいのである程度日持ちして一人ひとりに配れるものが万能です。

「そんな小さなことで？」と思われるかもしれませんが、実際にはこうした小さな積み重ねと、終始一貫した態度が信頼を生み出すのです。

Point

## 根回しの分母を増やし、競争するより協力する

# 6.4 部門間対立には「共通の敵探し」で

**部門内の根回しに加え、部門外の根回しも重要。そのポイントは、「共通の敵探し」をすることにあります。**

## ⦿不毛な争いを避けるには、「敵の矛先を変えよ」

営業部門は「製品が悪い」と言い、製造部門は「営業が売ろうとしない」と言う――。

こんな部門間対立は、どんな会社でも起こっていることです。しかし、お互いに粗探しをして責任をなすりつけ合っても疲れるだけです。

**教科書的に言えば、他部門の「巻き込み」が重要ですが、これはそう簡単な話ではありません。他部門を巻き込もうとして「巻き込み事故」になるケースもあります。**

そんな不毛な事態を防ぐ方法があります。それは、「敵の矛先を変えること」です。

敵を「対立先」から「本質的な相手」に変えるのです。本質的な相手は「共通の敵」

になるのです。ライバル会社を仮想敵にすると、結局はライバルとの比較になるので、「品質」「安さ」「デザイン」「メンテナンス」など、相手の部署がライバルより劣っている対立構造は変わりません。「本質的な相手」は、「お客様が困っていること」です。元々、立場は違えど「お客様を喜ばせたい」思いは同じですから、お互いの良さを引き出す方向にシフトできます。

社内レベルであれば、いつも反対する他部門の管理者や役員と「どうすれば喜んでくれるか？」を、一緒に考えると、打開策が意外とすんなり見つかるものです。

## ⦿ソラ・アメ・カサで、「今後の読み」をすり合わせる

とはいえ、そもそも視点の違う部門同士の意見をすり合わせるのはそう簡単ではありません。たとえば、「製造のコストカットが先」「一人当たりの売上高と販売個数増が先」とお互いに主張していては、どちらもそれぞれの立場では正しいことを言っているだけに、永遠にかみ合いません。そこで重要になるのが、「このまま行ったらどうなるのか？」という未来予想図をお互いに確認することです。具体的には5・4でご紹介した「ソラ・アメ・カサ」を使うのが効果的です。

まずは部門のリーダーを集めて、ズバリ「○○部長は何を問題視していますか？」と

話をしてもらいます。これがいわば「ソラ」（事実）の確認です。ズレるのは「アメ」（解釈・判断）です。この「スジ読み」の違いで議論がかみ合わなくなるのです。それぞれの立場が違うので、論点や優先度が異なるからです。

なので、**議論がかみ合わない時は、「アメ」の目線合わせを行いましょう。**

「このままいったら○○部長はどうなると思いますか？」と「ソラ」を踏まえ、「アメ」の違いを可視化するのです。この「アメ」の違いが未来予想図の違いになります。日本語では「ソラ」「カサ」中心で、「アメ」は暗黙知として省略されてしまうことが多いため、このすれ違いが発生しやすいのです。

「アメ」の目線合わせはこの可視化から始まります。「○○部長がこの読みをされる論点を教えてください。その中で一番重要な論点は何になりますか？」と、論点とその優先度を書き出します。

その論点と優先度をもう一度全体先の視点で見直すと、未来予想図の目線が合います。全体最適の視点で「アメ」を確認すれば、一気に解決につながります。「ここまでくると「ソラ」と「アメ」の目線が合うので、打ち手であるカサは自ずとみえてきます。

なかなか、「アメ」（解釈・判断）を確認しにくい時は、「素朴に思ったのですが……」作戦です。「素朴に思ったのですが、○○部長はこのままいくと倒産だと想定されているのですか？」と言えば「その通り」「いや、そうはならないだろう。なぜなら〜」など、本音を自然と話してくれるので「アメ」（解釈・判断）の確認ができます。

相手の話を要約しようとする人がいますが、上から目線の印象を与え、相手を怒らせかねません。**あえて「素朴に」とふわっと疑問を投げかけてみましょう。**

これは、私が過去にコンサルティング会社で教えてもらったやり方です。対立する場面ではロジックではなく、それとなく流れを変えるうまい一言が必要なのです。難易度が低いわりに効果が高く、再現性があるのでお勧めです。

また、**お互いの非難がエスカレートしてきた場合は、「そもそも論」を持ち出すのもいいでしょう。**「ところで、そもそも今の議論の最終目的は、××でしたよね？」などと言葉を挟むことで、ヒートアップした相手も冷静になれます。

議論が対立して過熱しそうになったら、エキサイトする前に、さりげなく「そもそも論」や「素朴に」で怒りや対立の矛先を変えてしまいましょう。

Point

**「便利な一言」を使い、対立から共通の敵に焦点をあてなおす**

# 6.5 「やったもん勝ち」アプローチで、賛成派を増やせ

**プロジェクトは、キーマンを巻き込み、メンバーの当事者意識を引き出す……これ、失敗します。なぜなら、「やりたくない」から。ではどうするのか？**

## ⦿巻き込めばメリットに目を向けるは虚像

やることだらけで余裕が1ミリもない現場は、新しい取り組みには基本的にネガティブです。「新しい取り組みに手間、時間がとられたのに目標未達でした」が通る組織は存在しません。セオリー通りにプロジェクトのメリットについて言及し、巻き込みさえすれば、積極的に参加する場合もあるかもしれませんが、実際は上手くいかないでしょう。

**この巻き込み型のアプローチには誤りがあります。それは、合意形成を得てから進めようとすることです。**これが成り立つのは、

①　変革を成功させるまでに、時間的余裕がかなりある
②　右肩上がりでビジネスが成長し、改善策を現場で考える余裕がある

という条件を満たす必要があります。

現在ではそんなにのんびりできる職場はありません。仕事量も増え、競争が激しいのに業績は落とせない現場にとっては煩わしい限りです。仮に組織のキーマンの肝入りのプロジェクトで、人事が「デキる人材をアサインして欲しい」と現場に頼んでも大抵は無視します。優秀な人材は、その部署の大切な仕事に集中しているからです。

代わりにプロジェクトの推進は、「〜代理」「副〜」といった役職の人をはじめ、メインから外された人がアサインされます。

つまり、プロジェクトのメリットを訴えても、「世界平和」のように総論は賛成でも、いざ実行する段になると誰もやりたがらないのです。

## ◉人は「勝ち馬」に乗りたがる

では、どうすべきか。まず、抵抗する現場は放っておいてかまいません。説得に時間と労力をかけるのではなく、まず一つ小さなプロジェクトを成功させましょう。どんな小さな成功例でもかまいません。そして、この成功例をあなたが社内外に宣伝しまくる

のです。

**３つ以上の成功例が出てくるとガラリと社内の空気感が変わります。「この取り組みに我が部署ものらないと損！」となれば、抵抗していた部署も何もなかったかのように手の平を返してきます。**今の時代は「乗ったもん勝ちアプローチ」が効くのです。

「乗ったもん勝ちアプローチ」のポイントは２つ。

① 会社全体に使っていた労力を協力してくれる部署や人に集中的に注ぐ。

② 芽が出た成功事例を「すごい！」とただほめ、広めまくる。

　成功の芽が出たからといって、経営者やキーマンのように、トップダウンで同様に展開する通達や命令を出すことはＮＧです。「勉強しようと思ったのに勉強しろと言われるとやる気をなくす」心理と一緒です。ほめまくり「それ面白そう、教えて」と向こうから飛びつかせるのです。ダチョウ倶楽部のネタで上島竜兵さんが「ふざけるな！　俺はやらない！」と言ったら他の人達が「私やります！」と手をあげる人が一人、二人と増え、最後は全員手があがる。そんなイメージです。事例で紹介しましょう。

　今でこそ育休明けの時短勤務者が多く、結果全社の残業時間が減ったS社も、最初は時短勤務者が少なく、退職者ばかり職場でした。時短勤務者への部門長の評価が低かったからです。そこで、最初に一人の育休明けで時短勤務者の女性一人に対し、常に最新のパソコンを与えるなど、全面的にバックアップしました。そして、産休前と同じパフォーマンスを出した功績を社内外に宣伝しました。

すると、それをみて次の候補が立候補し、同様にバックアップしました。3名の成功者が出た時点で「時短勤務者はいらん」と言っていた部門長たちが一斉に「私の部門にも、時短勤務者を配属して欲しい」と言い出しました。

これまで時短勤務者も「残業できずに申し訳ない」、周りも「残業させてはいけない」とお互いに気まずそうでしたが、これによって時短勤務の退職者も激減しました。

このステップは一見大変なようですが、実は全社の合意形成をとって調整しながら進めるより時間は短く速く結果につながります。ぜひ「のったもの勝ち」アプローチをやってみてください。

Point

**巻き込むよりツンデレでいこう**

## 6.6

# 「お客様が既にいます」の一言で、反対勢力をなくす

「イノベーションを起こせ」と言うわりに、上司はダメ出ししかしない。上司ブロックをさけ、経営会議でサクッと承認を得るには？

### ⦿管理職は頭が固くて保守的が前提

「このプランで確実に成功する保証はあるのか？」
「この数字の根拠は？　徹底的に調査したのか？」
「我社が勝てる優位性はあるのか？」

目新しいことを上司に提案すると言われるのは、大抵この3つです。

**この問いに完璧に答えられるなら、すでに競合が先に打って出て成功しています。**

一方、業界や自社にとって初めてのことならば、根拠や数字は試算でしか出せません。

なのに、なぜ上司はこの3つの質問をするのか。

それは普段自分が、部長や役員など、自分の上司に言われていることなので、つい、同じ視点で指摘してしまうのです。彼らに悪気はありません。

経営会議などでこの質問が飛び交う理由は、これまでの企業は既存のビジネスをより太くすることで成長してきたからです。残念なことに、その常識の中で昇進してきた今の管理職が、業界や会社で初めての取り組みを判断することはできません。

では、どうすべきか？　提案する前に「お客様を連れてくる」のです。

もちろん、まだ商品やサービスができていない段階ですから、実現したら購入したい、使ってみたいという見込み客やお客様候補で十分です。

「このサービスが実装されたら、ぜひ使いたいとA社の担当者が言ってくれています」

「事前のモニターアンケートでは、○割の人が買いたいと言ってくれています」

**カギとなるのは、「この企業がお客様になってくれるのか！」と経営陣が喜んでくれ**

**るような企業や人を用意することです。**1社ではなく複数社あると、よりインパクトは上がります。

こうして決定権者に「あなたは、このお客様を失う責任を負うのですね？」と詰めればいいのです。

## ◉30代だからこそ、お客様をみつけられる

では、どうやってお客様を見つけるのか。**一番簡単なのは、既存の取引先に話をするか、興味のありそうな部門を紹介してもらう方法です。**

「こんなアイディアを考えているのですが、実現したら欲しいと思われますか？」と相手の感触を確かめていくのです。既存顧客の場合、担当者だけでなく、意思決定者まで根回ししておくと完璧でしょう。

また、仕事仲間や知り合いの中に影響力が強い人がいるならば、その人の意見をもらっておくのも効果的です。その人のツテをたどって話を聞いていくのもいいでしょう。多くの人を巻き込むことで説得力が増すとともに、提案自体もブラッシュアップされていきます。

これはまさに「30代ならではの説得術」と言えます。現場の第一線に立っているからこそキーマンとのつながりがあり、社内ネットワークもある程度充実している。現場感覚が薄れた40代や、社内ネットワークが不十分な20代にはできません。

一つだけ注意しておきたいのは、特に取引先に話をする場合、どこからか話が漏れる可能性があることです。それだけは十分に注意しましょう。

Point

**お客様をみつけてから、根回しに入る**

# 6.7 叱り方、ほめ方よりも「感謝」で人を動かす

**すべての関係者を動かす共通テクニックは一つだけ。これさえ身につければ、組織の壁はスイスイ乗り越えていけるのです。**

## ⊙感情のない「ありがとう」は、言ってないのと同じ

人を動かすテクニックは数多くありますが、どんな相手でも一発で動かすことができる万能なテクニックが、たった一つだけあります。

それは「感謝」することです。ごく当たり前のことですが、効き目は非常に高いのです。

これが「ほめる」だと、人によっては「上から目線」と感じたり、「何か裏があるのでは？」と訝《いぶか》しがられることがあります。感謝は誰にでも素直に喜んでもらえます。

しかし、ここに罠があります。

**「ありがとう」という言葉はあまりに当たり前の言葉になってしまっているため、何の感情も込めずに「ありがとう」を使っている人が散見されるのです。**いわば、「ありがとう」が消費されているのです。

政治家の選挙活動ではありませんが、相手の目を見て感謝を伝えることが大事です。それにより、強く相手の記憶に残ります。優れたリーダーは必ず、相手の目を見て笑顔で感謝の気持ちを伝えています。

さらに、感謝を伝える時には相手の名前を呼びましょう。それにより、あなたの好感度は大きく上がるはずです。

心理学的に、人は自分の名前が一番好ましい言葉だと感じるそうです。自分と同じ名前の人や地域に無意識的に親近感を覚えるのはそのためです。私は「松本利明」なので、長野県の松本市やダウンタウンの松本人志さん、プロレスラーの川田利明さんに親近感を覚えます。

だからこそ、相手を名前で呼ぶことが「相手の心を開く鍵」になるのです。照れたり省略したりせずに、きちんと相手の名前を呼んで、感謝の言葉をかけましょう。

## ⊙「相手にやってもらいたい行動」＋「感謝の言葉」で動かす

そして、**感謝で「人を動かす」ためには、「相手にやってもらいたい行動」に「感謝の言葉」を加えること。これが基本形です。**

たとえば、「いつも真っ先に発言してくれて、ありがとう」と言えば、感謝された相手は、「会議を効果的に進めるためには、これからも真っ先に手を挙げればいいのだな」と解釈してくれます。結果、あなたが求める行動を相手がとってくれるようになるのです。

感謝の表現方法に幅を持たせるのも手です。

・感謝します：相手の行為や親切に対して素直に感謝の気持ちを伝える言葉
・感激しました：相手の言動に心を動かされた気持ちを伝える言葉
・嬉しいです：嬉しい気持ちを素直に伝える言葉

さらに、相手の行動を受けて自分がどう感じたのか、心の動きを表現することでも感謝を伝えることは可能です。

・○○さんの一言が心に染みました
・○○さんに、足を向けて寝られません　など

どうしても照れてしまって直接感謝を伝えられない、リモートワークのせいで直接接

する機会が少ないという人は、文章で伝えてもいいでしょう。それも、いきなり感謝するのではなく、メールの本文の後に、

「追伸　〇〇〇さん、いつもありがとうございます。感謝しています」

と入れてみましょう。それだけで印象はがらっと変わります。

メルマガで一番人気があるのが編集後記だったり、YouTube動画の最後の「おまけ」で出演者が本音を話す姿でファンになったりするのと、同じ感覚です。追伸やおまけには、その人の人間らしさや本音が現れる印象を与えるからです。

これは苦手な人対策としても効果ありです。苦手な人や許せない人に対し、「感謝しています」と言ってみましょう。相手の態度や言葉が優しくなります。「返報性の法則」が働くからです。人は相手から受けた好意などに対してお返ししたいと感じるのです。

感謝されて、悪い気がする人はいません。感謝は味方との関係を強固にし、敵を味方につける「使える武器」なのです。

Point

**感謝の心を言語化することを習慣にする**

# 第7章

# 得意な人を増やす人脈術

# 7.1

# 苦手な人を克服するより、得意な人を増やせ

**チャンスは人が運んでくれる――わかっているけど、自ら積極的に人脈をつないでいける人は極一部。初対面の場が苦手で、フットワークが重い人は9割。そんな、あなたでも簡単に「欲しい人脈を引き寄せる」方法があります。**

## ⊙得意なことなら、誰でも外向的に振舞える

日本人に、社交性の高い人は多くはありません。

インターネットで2万人の男女に調査したところ、日本人で自分が社交的だと思うと答えたのは、「わずか6・1％」、約17人のうち1人です。「やや社交性があると思う（16・3％）」まで入れても、22・4％。約5人に1人しか自分に社交性があると思っていないのが現実です（出所：勝手にランキング）。今の日本では、約4／5が自分は社交性が高くないと認識しているのが現実です。

でも、ご安心ください。これだけやれば外交的に振舞えるコツを解説します。

**そもそも内向的なのに、常に無理して外向的に振舞うと大変消耗します。大切なのは、必要な時に、必要な分だけ、ラクに外向的に振舞うことではないでしょうか。**

そのためには、どうすべきか。「得意なこと」から広げていけばいいのです。

内向的な人は、好きなこと・情熱を捧げていることなら、別人のように饒舌《じょうぜつ》になれることがあります。「凄く詳しいですね！」と一目置かれることもあるでしょう。人前で話すことが苦手でしょうがない根暗な鉄オタに、鉄道の話を振ったら、一晩中でも、熱く語ってくることと一緒です。これは、パーソナリティや動機づけをテーマにした心理学分野で世界的に有名な研究者で、ハーバード大学で3年連続人気教授に選出されたブライアン・R・リトル教授の自由特性理論の中でも解説されています※。

ある意味、オタクの輪を広げていく感覚です。得意なことから始め、「凄い！」と言ってくれる人をどんどん増やしていくことで、得意な人の幅と数を増やし、その輪を広げていくのです。そもそも、得意なことは自分のキャラに合っているので、パーソナルブランディングにもつながります。

※『自分の価値を最大にするハーバードの心理学講義』（大和書房）

**得意なことで独自のつながりを持ち、人的ネットワークを広げれば、「自己肯定感」も上がるでしょう。**自己肯定感が高まると自信の総体積が大きくなります。

自信の総体積のレベルがあがると、得意な人が増えていきます。

類が友を呼ぶからです。初めて会ったのに何年も前から知り合いのような感覚を覚え、すぐ意気投合します。初対面で同じ出身大学や共通の友人がいれば親近感を覚える感覚と一緒です。ＳＮＳでのコメントをみれば、親しくやりとりするのは同じようなレベルの方々で次はその上位ファンであることがそれを物語っています。

## ◉異分野、苦手な人にスライドする

ここでも、第2章でご紹介した「場所軸」で考えてみましょう。

得意な分野で、社内外で認められたら、別の分野に対象を広げるのです。

別の分野であれば、あなたのライバルは少ないでしょう。得意分野の代表としてコメントしあうことでお互い学べるのです。人事であれば、「人事×営業」「人事×経営」といった、ビジネスの別機能の軸でもいいですし、「人事×スポーツ」「人事×ボランティア」など、異分野であればあるほど、お互い新しい知見を仕入れ合い、発想をスパークさせることにつながります。つながる人もどんどん横に広がっていきます。

ＴＶのコメンテーターは、経済学者は経済の視点、医者は医療の視点など、同じ事実でも、立ち位置によりコメント内容が変わることで、深みや学びの知的エンタメを与えます。これと一緒。違う立ち位置同士からの刺激は新たな気づきや発想を生み、お互い学びになります。その議論を楽しみ、役立つことで、自己肯定感も急上昇します。

苦手だと思っていた人も、あなたの自己肯定感が高まり、自信の総体積が増えると怖くなくなります。ゲームを進める時、最初は強くて倒せなかった敵が、経験値を積んでレベルアップしたら簡単に倒せるのと一緒です。

あれだけ苦手と思っていた人が、可愛く思えてきたり、逆にいい面が見えてくることもあります。苦手意識がなくなるだけでもストレスが激減します。

自己肯定感をあげる一番簡単な方法は、小さくても場数を踏んでクリアしていくことです。心理学や精神学的なアプローチで自己肯定感をあげるより、小さな場数の方が、手間暇時間がかからないので、忙しい30代にはぴったりです。

Point

## 安全地帯を作り、広げていくことが一番速い

# 7.2 3カ月に一度、人脈を見直せ

**培った人脈はすべて大切に。そう思っている人も多いかもしれませんが、多忙な30代にはなかなか難しいもの。実際は、シビアに役立つ人脈、廃れた人脈を見極め、距離感を考えなければなりません。**

## ⊙30代は全方位的につながることができる有利な年代

30代は年代的にはちょうど中間でめちゃくちゃに忙しい時期です。人とのつながりも、仕事関係や近しい人ばかりに偏りがちですが、30代こそ、次の3つの層とつながることで人生を豊かにし、選択肢を増やしていけるのです。

① 年上で教えを授け、自分を引き上げてくれる層

② 一緒に成長していける同年代

### ③　自分を支え、ついてきてくれる若手層

①はメンター、スポンサー、師匠などと言われる層で、あなたも一番イメージしやすいでしょう。仕事を覚え、どんどん成長していく段階なので、上を見て引き上げてもらうことは必須です。

忘れがちなのは②と③です。②の一緒に成長している同世代は、７０００名を超える選ばれたリーダーや世の中を動かしている識者は必ず持っているし、つながっています。お笑いの第○世代と一緒です。

その時代、時代をリードする人は、同じ頃に登場し、お互い切磋琢磨して成長していきます。堀江貴文さん、株式会社サイバーエージェント代表取締役社長、藤田晋さんは同じ頃にベンチャーの覇者として登場していますし、落合陽一さん世代も、若き次世代を担う識者として活躍されています。

あなたの周りにいる10人の平均年収があなたの年収額、という話があるように、**一緒にそれぞれが自分らしく活躍し、成長する仲間を持つことが今と未来を豊かにします。**

30代も半ばを過ぎてくると、リーダーを担う機会が増えます。起業すればなおさらで

す。この時、上と横しかみておらず、誰もついていない状態は非常にまずいです。

今は上司の評価が高くても、周りや下から「この人についていきたい」と思われる人から抜擢されるようになりました。忘れがちですが、自分より若手の層とつながることは有利です。上の人は引退したり、異動や転職でいなくなることがあります。若手層であれば、安心して付き合えますし、自然とどんどん増えていくのが魅力です。

## ⦿3カ月アップデートされない集団や人は卒業する

成長するにつれ、つながる人は大きく変わります。最初、お世話になった識者やメンターをそこまで必要としなくなることもあるでしょう。

ですから、つながるネットワークや人もどんどん意識的にアップデートを行う必要があります。学生時代のように物理的な年数で区切られることがないので、自分で基準を持たない限り、ずるずるいきます。

今のご時世、ＳＮＳやネットを通した緩いつながり方もあるので、無理に切る必要はありません。カドがたったら、「あいつは随分偉くなった」など、ややこしくなるので不要な争いは避ける必要があります。つきあう人の熱量の差でメリハリをつければ大丈夫です。

**見極める基準は「3カ月話している内容や取り組みのアップデートがあるか、ないか」です。アップデートがないなら、こっそり見限ってしまいましょう。**

逆にあなたも3カ月間、アップデートがないと見限られる可能性があると思ってください。ゆえに、得意なことから広げるのが得策なのです。苦手なことは長続きしないし、楽しくないからです。

スピリチュアルはわかりませんが、今は「風の時代」だそうで、想いが加速度的に実現してくそうです。ビジネスの世界もその通りで、今までは数年かかったことやつながりが一瞬や短期間で実現するのが当たり前のスピード感になりました。

ネット環境が後押しすることありますが、「無冠の帝王」はいなくなりました。今は帝王クラスであればすぐに見出されてしまうからです。

恐れることはありません。得意な人から広げていけば自信と実績が一番速く確実に積み上がるのでお勧めします。

Point

**熱量の差で、人づきあいにはメリハリをつけよう**

# 7.3

# 「信用」と「信頼」を積み上げ、資産にする

**20代までは、可愛がられることで、周りに守られてきましたが、30代からは「声がかかり、相談される」ことがキーになります。ただ、誰もが認めるほどの経験や実績があるとは限りません。そうした人が、頼られる存在になるには？**

## ⦿信用は実績、信頼は人柄

実力や経験が豊富でも、声がかかる人、相談される人とそうでない人に分かれます。その違いは「信用」と「信頼」があるかどうかです。

- 信用とは、それまでの行為・業績などを信じること（過去・客観）
- 信頼とは、相手の能力などを信じて頼りにすること（未来・主観）

信用は客観的な評価です。「松本さんは過去5年間、集計作業のミスが一度もなく正確」といった過去に裏づけられています。実績、肩書などのラベルとも言えます。

信用は英語ではcredit。クレジットカードの語源でもあり、その人の過去の取引による支払能力や遅延履歴など、客観的な信用情報をもとにしています。

一方で、信頼は主観的な期待です。「松本さんは過去5年間、集計作業が一度もミスなく正確だったので、初めての経験になるけど、このプロジェクトを任せても大丈夫だろう」。このように、実績や過去の行動といった事実に加え、人柄、考え方、立ち振る舞いなどパーソナルな部分や直感も加味した「期待」です。

信頼は英語ではtrust。信じるという意志が入ります。「信用」は過去の成果や行動をもとに、こちらが評価する一方的なものですが、「信頼」には相手との双方向のやり取りがあります。「上司が目標を達成できると信じてくれているので頑張ろう」というように、相手の期待に応えようとするからです。

**30代では実績が十二分でない段階でも「こいつならやってくれそうだ！」という期待を勝ち取れれば、チャンスをつかめる機会が増えます。**

よく、「なぜ、実績は私のほうがあるのに、あいつが……」という場面を目にしますが、残念ながら、「あいつ」のほうが期待値は高かったのでしょう。チャンスは「やれそうだ」と期待される人に集まるのが現実です。

## ⊙信用と信頼は「一貫性」をコンボして太くする

信用ゼロでは信頼されることはありません。詐欺師でも、信用に足り得る実績があるようにみせるので、信頼されるのです。信用がなければ、ただのうさんくさい人。騙される鴨はいないでしょう。

信用と信頼を別々に積み上げるのは手間と時間がかかります。信用と信頼を同時に積み上げるのは「一貫性」です。過去の信用から生まれた期待に相手が応えることで、信頼が高くなり、実績がプラスされた分、信用も高くなるのです。例をだしましょう。

×「いつも的確」（信用）↓「次も的確にやってくれるはず」（信頼）↓「微妙だった」
↓「落第ではないけど的確とは言えなかった」↓「次は……」（信用と信頼が目減り）

○「いつも的確」（信用）↓「次も的確にやってくれるはず」（信頼）↓予想通りだった
↓「やはり的確にやってくれた」↓「いいね！」（信用と信頼が高まる）

ですが、これは想定の範囲内です。

◎「いつも的確」（信用）→「次も的確にやってくれるだろう」（信頼）→**「途中でたたき台を出してくれたので進捗が安心できた」→「さすが！」（信用と信頼が急上昇）**

相手の期待値を想定し、無理のない範囲でプラスしてあげる。価値をコンボしてあげると、テコの原理で相手の期待＝信頼は爆上がりするのです。

すると、信頼が級数的に跳ね上がり、おいしい仕事、チャンスが舞い込みやすくなるのです。**コツは、毎回少しずつ期待値を少し超えること。大きく期待値を超えるのはNG。ムリして成果を上げても、再現性がないからです。**相手の期待は次回以降、どんどん膨らみ、それに満たないと満足できなくなるからです。

相手の期待値を上手にコントロールしましょう。

Point

**相手の期待値よりも少しだけ上回ろう**

# 7.4 すべての「接点」を「ご縁」にする

**現在つながっている人とつきあうのはラクですが、それでは「つながり」は広がりません。かといって、ゼロから人脈を発掘するのもシンドイ……。しかし、今ある人脈を使って、価値あるつながりやご縁を広げる方法があります。**

## ⊙すべての「過去」を活かし、未来につなげる

**一番ラクで確実なのは、自分の過去の人脈を使うこと。半径5m以内の身近な縁からつないで、広めていくのです。**具体的には、アルムナイを活用するのがお勧めです。

アルムナイとはalumnusの複数形で、本来は「卒業生、同窓生、校友」を指します。企業の場合、その企業の退職者の集まりを指しますが、定年退職者だけの集まりではありません。転職や家庭の事情等、さまざまな理由による中途退職者も含まれたＯＢ、ＯＧの集まりです。今までは外資系大手企業中心に存在していましたが、ここ数年で日系

企業もこぞってこの制度を取り入れています。

アルムナイのメリットは、同じ組織の中で働いた経験があるので、信用が担保されているところです。お互いの価値観や考え方が共有できているのです。「同じ地元、同じ大学、同じ部活出身だと信頼感が湧くのと一緒です。アルムナイでは、違う会社や業界で活躍する方も多くいます。ですから、そこにいれば、人脈は自然に広がります。

今の会社や以前所属した会社にアルムナイがない人もいるでしょう。その場合は、出身大学、県人会、趣味の会など、過去の自分に縁があった場所であれば、信用社会は成り立ちます。現在活躍され、国内外で認められている人は何人かはいるものです。

社会人大学院や、有名ビジネスパーソンの私塾も良いでしょう。卒業して活躍している人の質や数を見れば、どんな人脈を築けるか想像がつくものです。

最近では、オンラインサロンも出てきました。オンラインサロンを活用するのもアリですが、その質はバラバラです。入るのであれば、一つだけでなく、複数入りましょう。思想の偏りを防ぎ、参加者のレベルを客観視しながら学習し、つながりを広げていくのが正解です。

## ⊙すべての「ご縁」をつなぎストックする魔法の言葉

過去だけではなく、今から発生する小さなご縁も、ある一工夫でストックしておくことが可能です。

別れ際に「今度、〇〇さんと何かご一緒したいですね」と一言かけるのです。この一言は、後味を引かせる魔法です。Ｙｅｓしか出口がありません。

結果、相手に「将来、この人とご縁があるかもしれない」と潜在意識に刷り込むことができます。相手があなたに不快な思いさえなければ、ポジティブでゆるいつながりをストックできます。

でも、「何か一緒に」の約束が果たされることなどめったにありません。ほとんどが、社交辞令だからです。

具体的に行動に移すには、コツが二つあります。一つは、ハードルを低く具体的にすることから始めることです。

たとえば、「今度、ランチをご一緒したいですね」はいかがでしょうか？　事業の立ち上げの話はハードルが高すぎて、社交辞令の印象を与えます。一方ランチくらいならハードルも低く、実現度は高いです。結果、ランチで実際に直接話をする機会をいただいたことで、より深いご縁や関係につながる確度が高まります。

もう一つのコツは「あのイベント、一緒にいきませんか？」など、具体的なお誘いをすることです。次の約束をとりつけやすくなります。

このアプローチは、パーティ、業界の会合、飲み会、採用面接、どの場面でも活用できます。某有名ＩＴ企業のＣＩＯの友人は、「このエンジニアはぜひ採用したい」と思った時、必ずこのアプローチをするそうです。半年に1回くらいランチか飲みに誘い、毎回最後に「こんなことしようよ」と繰り返し具体的な未来を一緒に考えることで、近い将来確実に採用できると言っているくらいです。

転職の面接官に「合否に関係なく、○○さんとご一緒できたら嬉しいです」と結んでおくと好印象を与えることができます。転職せずとも、同業の狭い世界では、いつどこで違う形でつながるかわからないので、一緒の未来を匂わせておくことは得策です。

Point

## アルムナイネットワークを活用しよう

# 7.5 30代は「シンガポール型」でつながりを広げる

30代のつながりは、役立つ情報を与えあい、相談やディスカッション、コラボを通して深めあう関係が理想的です。ただ、30代のあなた一人で持つ情報やネタには限界があります。提供できる情報やネタが少なくても、人脈を築く方法はあります。

## ⊙「皆さん」ではなく「あなた」宛に届ける

私がお勧めしたいのが「シンガポール型」の人脈術です。あなたが中継基地（ハブ）になり、欲しい情報を欲しい人に届けてあげればいいのです。

たとえば、Aさんが「飲食業界のマーケット規模の推移」を知りたい。あなたはそこまで詳しくないけど、あなたはデータに詳しいBさんを知っているので、AさんにBさんをつないであげる、という感じです。

難しく考える必要はありません。価値ある情報が自然に入ってくるインフラを既にあなたは持っています。社内、同業のつながり、SNSやTwitterなどを含めると、最低でも数百、数千から数万つながっている人もいるでしょう。

現時点ではただつながっているだけの人が9割以上。得意な人から、無理のないレベルから始め、広げていけばいいのです。

・身近な人（職場の人、取引先、関係先の人）
・関心あるテーマでつながっている人

から始めるといいでしょう。キーは、「その人の興味関心事」がわかること。身近な人であれば、仕事やプライベート含め、たくさんのことを知っているので、どんなことを知れたら嬉しいかつかみやすいです。関心あるテーマでつながっている人は、あなたが興味あることは、その人達も興味がある可能性が高いからです。

すべての情報を中継する必要はありません。あなたが知っていること／知ったことだけで十分です。キーは2つあります。一つはスピードです。

**相手が情報をキャッチする前に鮮度の高い情報を提供しましょう。**相手が情報を知る前に提供すれば、役立ち感がアップします。

**もう一つのコツは、ひとりずつ、名前をちゃんと書いて送ることです。**

人は自分の事に一番興味関心があります。メルマガやｃｃメールはほとんどみないけど、知り合いからのメッセージならサッとは目を通すものです。

伝える内容は、「これ、知ってるかな?」レベルで構いません。「ご存じだと思いますが、ご興味あるかなと思ったので念のためシェアします」と一行添えて送ります。一番の価値は「私の事を気にかけてくれた」と思ってもらうこと。それだけでもポジティブな印象を与えるので情報の価値以上の効果があります。

## ⦿価値ある一次情報をつかむコツ

つながりたい人との絆を深める簡単でお得な方法は、お互いに興味のありそうなイベント情報を共有することです。リアルイベントでなくても大丈夫です。オンラインイベントに一緒に参加し、後でランチでもしながらZoomなどで意見を交わすことで、新しい気づきや学びが生まれます。

今のご時世、オンラインで場所に関係なく、情報収集や意見交換が手軽にできます。Clubhouseで意見を交わすことで、仕事やコラボにつながる機会も増えているように、ゆるいつながりはリアルでなくても大丈夫だからです。

この方法は、私は30代の頃からよくやっていましたし、実際、優秀なリーダーも同じようなことをしていました。ぜひ試してみてください。

Point

## 価値ある情報提供で信用をあげ、共有することで信頼をあげる

# おわりに――充実するからこそ「余命」を考え、大事な選択をする

この本は、すべての働く30代が、自分らしく活躍できるようになれば、結果、今の職場も会社もよくなる。その確信があるので書きました。

会社に人生を預ける時代は終わっても、誰もが独立する必要はありません。自分らしく、稼ぎ、認められ、やりがいや達成感で楽しめるコツをつかめば、会社や組織に依存する意識がなくなり、結果、仕事や人生を楽しめるようになるのです。ただ、ここに罠があります。仕事の達成感や高揚感には中毒性があるのです。

## ◉「喜びを先送りにしない」働き方

「アリとキリギリス」の寓話は誰もが聞いたことがあるでしょう。アリは冬に向けて、

せっせと働いて食料を蓄える。キリギリスは、自由に遊んで暮らす。結果、冬になるとキリギリスは食べるものがなくなり、寒さに震えることになる。

　この寓話の最後は何パターンかありますが、基本的には「怠け者のキリギリスが痛い目にあう」という結末です。ただ、考えてみてください。**アリは本当に幸せなのでしょうか。**春、夏、秋と働き続け、やっと冬だけ休む。アリは「ただ生きるために働きつづける」存在、という人生でよかったと、あなたは考えますか？

　30代の人にぜひ意識してもらいたいのは、この年代は無意識のうちにアリのように働いていることです。むしろアリより危険かもしれません。今のご時世、ややもすると、冬すらずっと働き続けることになりかねないからです。

　**30代で一番怖いのは、毎日長時間働くことが習慣になり、いわゆる「仕事中毒」になることです。**30代はどんどん仕事も覚え、任され、楽しくなる時期。しかも、達成感や高揚感にハマり、昼夜問わずひたすら働き続けるようになります。

　実は私の30代も同じようなものでした。

30歳で日系大手の研修会社から外資系コンサルティング会社の大手のアーサー・アン

ダーセンに移った時、最小ステップで昇進できなければ引退しようと決めていました。

周りにいるのは東大、早稲田、慶應といった一流大学の出身者ばかり。しかも、ハーバードのMBAを持つ人もゴロゴロいる中、学歴に自信のない私は努力で勝負するしかないと、寝る間も惜しみ、土日も返上し、仕事と勉強に励みました。

結果、38歳でプリンシパル（部長級）まで昇進することができましたが、長年の目標を達成した瞬間、ふと「自分の30代とは何だったのだろう」と思ったのです。結婚もせず、趣味の時間も削り、ひたすら仕事の毎日。その間、過労で身体を壊して入院すること3回。完全なる「仕事中毒」です。

**自分の経てきた道を後悔しているわけではありません。でも、もし30歳に戻ったとしたら、また違った時間の使い方もアリかな、と思います。**

### ⦿死を意識することで本当に大切な何かに気づく

30代は確かに充実しています。しかし、その時間はいつまでも続くわけではないのです。その時その時にしか味わえない楽しみや喜びがあるはずなのです。

だからこそ私がお勧めしたいのは、「死を意識する」ということ。人は、死を意識した時に、自分が本当に大切にしたいこと、やりたいことに気づきます。

私が初めて死を強く意識したのは、１９９５年の阪神淡路大震災の時です。社会人になって2年目、神戸市東灘区の築４５年の木造アパート「みどり荘」の1階でその日を迎えました。なけなしのボーナスで買ったウインドークーラーが空を舞い、部屋の中はぐちゃぐちゃになりました。外に出ると、3階建の建物が1階建になっていました。あと2ｍ、断層の位置が近ければ、住んでいた部屋もぺっちゃんこで生き埋めになっていたでしょう。

そうした体験を経て、残された命は何か世の中の役に立てようと考えました。

30代で死を意識するというのはなかなか難しいかもしれませんが、ぜひ、年に一回は戦略的にそう考える時間を持ってほしいです。

## ⊙今、死んでも後悔しない生き方

私の友人には、とんでもない行動力を持つ人がたくさんいます。幻のウイスキーを求めてタクシーで遠くまで駆けつけ、夜中の会議に戻る人。たった1日できた休みのために久米島まで飛び、船をチャーターしてマグロ釣りを楽しむ人。忙しいからゴルフコースを庭に植えてしまった人。思い立ったらすぐに行動する人ばかりです。

理由を聞くとみな同じです。それは、「人はいつ死ぬかわからない」から。だから、やりたいと思った瞬間に「どうすればできるか？」だけを考え、即動くのです。

元マッキンゼーで株式会社CORESCO代表取締役の古森剛さんは「未練が残っても、後悔しない人生を過ごす」とよく言います。

人は生きている限り、「ああすればよかった」と未練がゼロになることはないが、今死んでも後悔しないように全力で生きることが大事。そのためには、死と向き合い、人生で大切なことをみつめ、喜びや楽しみを先送りせず、今を充実させる。

**30代は出世、転職、結婚、出産をはじめ、前向きな人生の転機が多く訪れます。だからこそ、あえて余命を考え、本当に大切な価値判断軸を持って、時間の使い方を考えてほしい**と思い、この本を書きました。

この本を読み、実践していただくことで、自分は「どうすごい」存在なのかをつかみ、何が起きてもなんとかできる静かな自信をつかむことができれば幸いです。

結果、他人に踊らされることなく、自分を知り、安全地帯を摑んでいただければ著者冥利につきます。人生の無駄使いを1ミリでもなくしましょう。

そして、この本は40歳になるまで手元に置いて、たまにでいいので、ペラペラ読み返してみてください。30代の変化は予測不可能。読むたびに、心に響くこと、役に立つことが違うので、あなたの30代のバイブルの一つになれば嬉しいです。

最後に、本書の発行に関わっていただいた全ての人にお礼を申し上げます。なかでも、声をかけていただき、厳しくも優しく、ギリギリまで編集作業に力を入れていただいたＰＨＰ研究所の吉村健太郎様、野牧峻様、本当にありがとうございました。

今まで在籍したコンサルティングファームの方々、クライアントの方々、コンサルティングの現場で協業した方々、キャリア・アドバイスを貫いにわざわざドアノックしてきていただいた方々、著者の先輩の方々、皆様の教えや指導なしにはこの本の完成はありませんでした。

そして、最後まで本書をお読みいただき、ありがとうございました。改めてお礼を申し上げます。あなたの一助になれば一番嬉しいです。

２０２１年9月吉日　人事・戦略コンサルタント　松本　利明

〈著者略歴〉

**松本利明**（まつもと・としあき）

HRストラテジー　代表

HR総研　客員研究員

PwC、マーサー、アクセンチュアなどの外資系大手コンサルティング会社のプリンシパル（部長級）を経て現職。世界や日本を代表する大企業からスタートアップ企業まで、600社以上の人事改革に従事。5万人のリストラと7,000名を超えるリーダーの選抜と育成を行った『人の「目利き」』。最近は企業向けのコンサルティングに加え、「誰もが自分らしく活躍する世の中」に近づけるため、自分の持ち味を活かしたキャリアの組み立て方を学生、ワーキングマザー、若手からベテランまでのビジネスパーソンに教えている。個別のアドバイスを5,000名以上にライフワークとして提供し、好評を博す。主な著作は『稼げる人稼げない人の習慣』（日経ビジネス人文庫）、『「ラクして速い」が一番すごい』（ダイヤモンド社）、『「いつでも転職できる」を武器にする』（KADOKAWA）があり、ベストセラー多数、累計15万部以上。英国BBC放送、ロイター通信、TBS、日本テレビ、『週刊東洋経済』、『AERA』、『新R25』など、メディア実績多数、講演多数。

装丁――――――――――小口翔平＋後藤司（tobufune）

図版・本文デザイン―――――桜井勝志

できる30代は、「これ」しかやらない
会社に使われて終わらないシン・働き方の教科書

2021年11月9日　第1版第1刷発行

著　者　　松本利明
発行者　　永田貴之
発行所　　株式会社PHP研究所
東京本部　〒135-8137　江東区豊洲5-6-52
第二制作部　☎03-3520-9619(編集)
普及部　☎03-3520-9630(販売)
京都本部　〒601-8411　京都市南区西九条北ノ内町11
PHP INTERFACE　https://www.php.co.jp/

組　版　　有限会社エヴリ・シンク
印刷所
製本所　　図書印刷株式会社


ISBN978-4-569-85025-2